"Gloria Furman é de carne e osso! Ela lhe contará sobre o cheiro do piso de sua cozinha e sobre o amor leal de seu Salvador. Jonathan Edwards está bem ali, com sanduíches de manteiga de amendoim e confeitos. A graça que este livro mostra não é uma ideia vaga; é o evangelho bíblico inspirando as coisas da vida — o cotidiano de uma dona de casa. De maneira forte, humilde e repleta de uma alegria contagiante, este livro chama as donas de casa (e todos nós) a andar na fé, nos conectando ao visível e ao invisível."

Kathleen B. Nielson,
diretora de Assuntos Femininos, *The Gospel Coalition*.

"*Vislumbres da Graça* é um belo retrato do que realmente vem a ser contemplar Jesus Cristo todos os dias e em todas as circunstâncias. Gloria Furman, nossa amiga, captura as glórias da vida de Cristo e abre os nossos olhos para a realidade delas nas circunstâncias aparentemente corriqueiras de nossas vidas. Ela constrói uma necessidade de querer saber mais sobre Deus e de acreditar que ele está presente em todo o nosso trabalho como mães e esposas. Sua paixão por missões e pela alegria em Deus é contagiante. Recomendamos este livro, com entusiasmo, a todas que estão desejosas de ver a realidade suprema da satisfação somente em Cristo para cada dia de suas vidas."

Elyse Fitzpatrick e *Jessica Thompson*,
autoras de *Pais Fracos, Deus Forte* (Editora Fiel).

CB033819

"Isto é graça que sustenta, é o tão desejado porto seguro: conhecer seu amor resoluto que nos guarda e salva. *Vislumbres da Graça* não é um guia. É um convite, de uma amiga de verdade, para ver e conhecer o amor inabalável do Senhor, que se mostra em cada tormenta, quer seja grande, quer seja pequena. Gloria Furman nos oferece encorajamento, baseado em sua própria experiência e na sabedoria proveniente de santos que enfrentaram tempestades há décadas, até mesmo séculos, antes de nós. Que você possa ver e sentir vislumbres do amor firme e inabalável do Senhor e que encontre uma âncora para a sua alma."

Lauren Chandler,
escritora, palestrante, cantora, esposa de Matt Chandler,
The Village Church, Flower Mound, Texas.

"Toda dona de casa, toda mãe, toda mulher já experimentou a falta de conexão entre o que sabe e o que sente, entre entender que o que está fazendo é bom e a realidade de ser desesperador e vazio. Em *Vislumbres da Graça*, Gloria Furman traz o evangelho como suporte a um chamado distinto da mulher. Com discernimento e graça, ela mostra que as boas-novas de tudo o que Jesus Cristo conquistou, quando devidamente entendidas e cuidadosamente aplicadas, transformarão o modo como a mulher cumpre a missão que lhe foi dada pelo Senhor."

Aileen Challies e *Tim Challies*,
autor do livro *Discernimento Espiritual*;
escreve no blog *challies.com*.

"Precisamos do combustível proveniente do evangelho para servir nossas famílias com alegria, e é isso que o livro *Vislumbres da Graça* nos proporciona. Em várias situações, despejo uma enormidade de regras sobre minha família, quando o que eles precisam de minha parte é graça, encorajamento e lembretes acerca da fidelidade de Deus. Agradeço a Deus por usar Gloria Furman para me mostrar o poderoso evangelho da graça divina, a fim de que eu possa estender a mesma graça ao meu marido e aos meus filhos. Como donas de casa, podemos ser sufocadas pelo ordinário, cegas pela vida secular, vivendo sob as lentes turvas da rotina e do cansaço, incapazes de ver como limpar narizes sujos ou separar brigas de irmãos para a glória de Deus. Em *Vislumbres da Graça*, Gloria nos ajuda a limpar essas lentes, revelando-nos como o evangelho pode mudar nossa perspectiva ao servirmos e amarmos nossas famílias."

Kristie Anyabwile,
mãe, dona de casa e esposa de Thabiti Anyabwile,
Anacostia River Church, Washington, DC.

"Não conheço pessoa alguma que mais viva seu dia a dia para a glória de Deus do que Gloria Furman. Gostaria de aprender a respeito de Deus e de sua graça a partir de pessoas que vivem essa graça e que lutam por isso. Tenho observado minha amiga fazer essas duas coisas de forma maravilhosa. Gloria tomou a grandeza de Deus, a derramou sobre as rachaduras do ordinário e, de alguma forma, o ordinário começou a parecer grandioso."

Jennie Allen,
autora de *Stuck: The Places We Get Stuck and the God Who Sets Us Free.*

VISLUMBRES

da Graça

VALORIZANDO O EVANGELHO NA ROTINA DO LAR

Gloria FURMAN

F986v   Furman, Gloria, 1980-
            Vislumbres da graça : valorizando o evangelho na rotina
       do lar / Gloria Furman ; [tradução: Translíteris]. – São José
       dos Campos, SP : Fiel, 2016.

            252 p.
            Tradução de: Glimpses of grace: treasuring the gospel in
       your home
            Inclui referências bibliográficas
            ISBN 9788581323428

            1. Graça (Teologia). 2. Famílias – Vida religiosa. 3. Lar –
       Aspectos religiosos – Cristianismo. I. Título.
                                                        CDD: 248.4

            Catalogação na publicação: Mariana C. de Melo Pedrosa – CRB07/6477

Vislumbres da Graça:
Valorizando o Evangelho na Rotina do Lar

Traduzido do original em inglês
Glimpses of Grace:
Treasuring the Gospel in Your Home
Copyright ©2013 por Gloria C. Furman

■

Publicado por Crossway Books,
Um ministério de publicações de
Good News Publishers
1300 Crescent Street
Wheaton, Illinois 60187, USA.

■

Copyright © 2014 Editora Fiel
Primeira Edição em Português: 2016

■

Diretor: Tiago J. Santos Filho
Editor-chefe: Tiago J. Santos Filho
Editora: Renata do Espírito Santo
Coordenação Editorial: Gisele Lemes
Tradução: Translíteris
Revisão: Translíteris/ DedTraduções
Diagramação: Wirley Corrêa - Layout
Capa: Rubner Durais
ISBN impresso: 978-85-8132-342-8
ISBN e-book: 978-85-8132-353-4

Caixa Postal, 1601
CEP 12230-971
São José dos Campos-SP
PABX.: (12) 3919-9999
FIEL   www.editorafiel.com.br
Editora

A DAVI,
QUE TERNAMENTE ME FAZ LEMBRAR A CADA DIA:

"ESTE É O DIA QUE O SENHOR FEZ;
REGOZIJEMO-NOS E ALEGREMO-NOS NELE."

SALMOS 118.24

Sumário

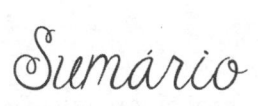

VISLUMBRES
Graça

Prefácio

Quando você está se afogando, a última coisa de que precisa é um manual de instruções que, em cinco passos simples, lhe ensine a nadar tão bem quanto um peixe. O que você precisa, ou melhor, o que você desesperadamente precisa é de algo que a mantenha flutuando; algo a que você possa se agarrar e não soltar mais; algo que não precise de sustentação, mas que suporte todo o peso do seu desespero.

Ondas devastadoras e águas profundas podem aparecer de todas as formas imagináveis: um bebê recém-nascido, perder o emprego, uma doença crônica, uma mudança, a oscilação em uma amizade, um câncer terminal, a luta com a fé, a morte de um ente querido, uma nova fase na criação dos filhos, um período solteira mais longo do que o imaginado, mais uma responsabilidade amontoada em uma pilha de pratos que já parece ter um quilômetro de altura, e a sombria perspectiva de haver décadas de tarefas acumuladas à sua frente: infinitas pilhas de roupas sujas, louça para lavar, chão empoeirado e narizes escorrendo; todas as situações que a fazem se sentir sobrecarregada.

Nossa tendência, como seres humanos, é nos perguntar: "Quais passos devo dar para fazer isso funcionar ou para fazer o problema desaparecer?". A prova disso está nas páginas — páginas da internet sobre como se tornar mais competitivo no mercado (seja o mercado de trabalho, seja o de encontros pessoais). Nas prateleiras das livrarias, enfileiram-se inúmeros livros sobre o que comer para combater o câncer, como superar uma perda, como criar bem seus filhos, como cuidar de seu próprio jardim, como criar suas galinhas, como costurar suas próprias roupas, como decorar a casa com móveis reformados de segunda mão (obrigada por isso, *Pinterest*), como educar seus filhos em casa, como criar um blog sobre isso e, depois de tudo, ainda ter o jantar pronto sobre a mesa quando seu marido chegar em casa.

Fazemos bem em buscar conselhos. Isso chama-se sabedoria. No entanto, há algo sobre estar no limite do desespero que clama por mais do que uma mera instrução. O Salmo 107 ilustra uma situação de tormenta. Em barcos, negociando em alto mar, alguns homens são literalmente atingidos por uma tempestade. Dizem as Escrituras: "Andaram, e cambalearam como ébrios, e perderam todo tino" (Salmos 107.27). Sua reação diante de tamanho desespero foi clamar ao Senhor. Eles não recorreram a manuais, nem a coletes salva-vidas, mas suplicaram honesta e desesperadamente a

Deus para que os livrasse daquela situação que fugia às suas capacidades de navegação. O que o Senhor fez por eles? Mostrou-lhes seu amor inabalável: acalmou as águas, silenciou o mar e os levou ao porto desejado.

Isto é graça que sustenta, é o tão desejado porto seguro: conhecer seu amor resoluto que nos guarda e salva. *Vislumbres da Graça* não é um guia. É um convite, de uma amiga de verdade, para ver e conhecer o amor inabalável do Senhor, que se mostra em cada tormenta, quer seja grande, quer seja pequena. Gloria Furman nos oferece encorajamento, baseado em sua própria experiência e na sabedoria proveniente de santos que enfrentaram tempestades há décadas, até mesmo séculos, antes de nós. Que você possa ver e sentir vislumbres do amor firme e inabalável do Senhor e que encontre uma âncora para a sua alma.

Lauren Chandler

Agradecimentos

Aliza, Norah e *Judson,* este livro seria bem sem graça e teria menos páginas sem suas personalidades preciosas.

Sou grata pelo encorajamento que recebi da comunidade online do blog *Domestic Kingdom* e por *Collin Hansen* e *Tony Reinke.* Agradeço também ao fato de minha amiga e incentivadora, Jennie Allen, ter me convencido a escrever algo mais longo do que um post num blog. Um enorme agradecimento a *Justin Taylor, Lydia Brownback* e ao pessoal da *Crossway.*

Meus irmãos e irmãs em Cristo da *Redeemer Church of Dubai* que oraram por mim e as queridas irmãs que me forneceram seu tempo e auxílio prático para que eu pudesse trabalhar neste livro: *Sarah Wilson, Sarah Lawrence, Laura Davies* e *Kanta Marchandani. Don* e *Becky,* obrigada por receberem meu bebê tagarela e a mim durante dois retiros de escritora e por não se zangarem pelo fato de eu ter deixado xícaras de café pela casa toda e biscoitos debaixo da cama.

Quando *Kevin* e *Katie Cawley* generosamente me deram sua cópia de A Gospel Primer for Christians, de Milton Vincent, vinda diretamente do lugar que ocupava no criado-mudo dos dois, eu não fazia ideia de que a recomendação deles seria tão ousada. Aquele livro realmente mudou a minha vida. *Samantha Muthiah,* obrigada por conseguir uma cópia de *The Organized Heart,* da autora Staci Eastin, e por todas as conversas sobre a centralidade do evangelho que se seguiram.

Jeremiah Burroughs e *Richard Sibbes* deixaram um legado de esperança e ressurreição que serviram para me instigar a viver sob a luz que derrotou a sepultura. É difícil também quantificar o impacto que os ministérios de *John Piper, D.A. Carson* e *Paul Tripp* tiveram em mim.

Um encorajador deste trabalho, do começo ao fim, foi *meu marido, Dave.* Ele sabia o quanto eu precisava escrever, para o bem da minha própria alma, e se sacrificou para fazer isso acontecer. Muito obrigada!

Introdução

No primeiro esboço desta introdução, escrevi: "Quero destrinchar as implicações práticas do evangelho no cotidiano".

Então me ocorreu o pensamento de que eu nunca tinha destrinchado nada antes disso. Eu só destrinchei coisas como frango assado e peru para a festa de Ação de Graças.

Pensei em outras metáforas que também não funcionaram. Coloquei a culpa do bloqueio criativo de escritora em meu "cérebro de mãe". Então me ocorreu...

Introduções são como a pergunta "por quê?", algo que eu respondo o dia todo.

Coincidentemente, o grande "por quê?" de hoje foi a respeito de cozinhar um frango. Tenho duas filhas em idade pré-escolar, e elas estavam me assistindo enquanto eu preparava *nuggets* de frango e fervia o macarrão. Uma delas disse: "Quero cozinhar também, me dê uma faca, mamãe!". Ela não tem nem cinco anos; não se pode confiar a ela uma faca.

Comecei a argumentar com ela: "Você não é responsável o suficiente para usar esta faca tão grande".

Por quê? (Lá vamos nós!)

"Porque é uma faca pesada, afiada e perigosa. Você poderia se cortar."

Por quê? "Porque você é pequena e somente gente grande pode utilizar facas como essa."

Tudo bem, então eu vou ferver o macarrão. "Eu também não quero que você mexa nos botões do fogão."

Por quê? "Porque você não tem idade suficiente para usar o gás e o acendedor de modo apropriado."

Por quê? "Porque são difíceis de usar, até mesmo para a mamãe."

Mas eu consigo fazer coisas difíceis. Eu consigo soltar meu cinto de segurança e contar até cem — quando você me ajuda. "Desculpe, querida, você ainda não está qualificada para lidar com fogo."

Por quê? (Suspiro)

Esse diálogo faz sentido quando você está conversando sobre os perigos em uma cozinha com uma criança em idade pré-escolar. Porém, às vezes, pensamos sobre teologia desse mesmo modo. Acreditamos que ela seja muito arriscada, difícil e não temos confiança em nossa qualificação para utilizá-la. Sentimos que deveríamos deixar o trabalho da teologia para mestres, pastores e professores da escola bíblica dominical.

Além do mais, o que a teologia tem a ver com cuidar do lar e com as coisas que todo mundo faz, independentemente de sua fé?

Mesmo levando em consideração nossas reservas e suposições, todas nós fazemos uso da teologia diariamente. Não podemos evitar! O fato de todo mundo fazer coisas corriqueiras, sem levar em conta sua religião, é outra razão pela qual devemos considerar o que faz o nosso modo de viver ser distintamente cristão.

Vivemos no mundo de Deus, somos feitos à sua imagem e semelhança e interagimos com outras pessoas que possuem almas eternas. Isso confere à teologia grande importância e imenso poder para mudar vidas em nosso cotidiano.

A teologia é para donas de casa que precisam conhecer Deus, quem elas são e a razão de ser da vida cotidiana e secular.

Essa é a razão pela qual escrevi este livro.

Como donas de casa feitas à imagem e semelhança de Deus, que desejam viver por ele, precisamos saber quais são as intenções de Deus conosco e com o trabalho que realizamos em casa.

Mais especificamente, precisamos saber: O que o evangelho tem a ver com nossas vidas diárias dentro do lar? De que maneira o evangelho influencia atividades como: lavar louça, varrer o chão, pagar contas, fazer amigos, receber convidados e preparar o jantar?

Como o fato de Jesus ter suportado nossos pecados em seu próprio corpo, sobre o madeiro, para que pudéssemos morrer para o pecado e viver para a justiça (1 Pedro 2.24), faz diferença em minha vida cotidiana hoje?

De onde obtemos nosso direcionamento espiritual? Devemos seguir nossos corações e/ou confiar em nossos instintos?

Será mesmo que qualquer *best-seller* do momento contém o segredo para uma boa vida? Será que a resposta é simplesmente viver o momento, parando para sentir o perfume do amaciante de roupas, vez ou outra? Existem várias ideias espirituais cruas que se disfarçam de teologia cristã. Como podemos diferenciá-las? Este livro não é exatamente uma crítica a essas filosofias, mas uma descrição da esperança distintamente cristã da glória de Deus e de como ela se relaciona ao lar.

A Bíblia, a Palavra de Deus, diz que fomos criados por ele para vivermos para a sua glória. Com todas as minhas forças, é isso o que desejo para a minha vida. Eu sei que a parte do "criada para ele" já está feita (uma vez que nasci e estou viva). A parte que falta — *vivendo para ele* — é a parte para qual preciso de ajuda. Esta manhã, esta tarde, esta noite e no meio da madrugada, quando estiver acordada com o bebê, quero saber, por meio do evangelho, como sou parte das promessas de Deus em Cristo (Efésios 3.6).

A rotina em minha casa está longe de ser tediosa. Agitado e pacífico, alegre e doloroso, o dia a dia no lar pode ser todas essas coisas, porque é lá que a *vida* acontece.

Somos um grupo heterogêneo de pecadoras feitas à imagem de Deus, que está tentando viver lado a lado, sob o evangelho da graça do Senhor. É tão belo quanto caótico. Então, de que forma uma "viva esperança, mediante a ressurreição de Jesus Cristo dentre os mortos" (1 Pedro 1.3) pode mudar o modo como eu vivo a minha vida?

As maiores questões que quero explorar neste livro são: *O que o evangelho tem a ver com nossas vidas no lar? Como essa graça muda nossa maneira de viver?*

HOJE É SEGUNDA-FEIRA

Provavelmente, o que mais me animou quando comecei a escrever este livro foi a responsabilidade de ser disciplinada para pensar sobre tais questões todos os dias. Que alegria!

E a única coisa melhor do que escrever sobre como valorizar o evangelho em sua casa é comer *pretzels* mergulhados em sobra de cobertura de baunilha enquanto escreve. Agora tenho cerca de um grama de sal chacoalhando dentro do meu teclado!

Vislumbres da Graça trata de como vivemos o "agora, mas ainda não" da história redentora de Deus. Jesus está vivo — ele não está na sepultura. O triunfo do domingo de Páscoa é a realidade na qual vivemos cada momento de cada dia. As coisas em nosso lar têm o potencial de nos impulsionar para o deleite da realidade da Páscoa. Nossas casas também têm o potencial de nos distrair à medida que fixamos nossos corações, não naquilo que não se pode ver, mas naquilo que vemos: a enorme pilha de louça para lavar sobre a pia.

Neste livro, quero tratar acerca do tesouro que o evangelho é para nós, especialmente em nossas casas, impulsionando-nos a exultar na esperança da glória de Deus. Porque Deus é bom, temos um número infinito de razões para louvá-lo em nossas casas. "Rendei graças ao Senhor, porque ele é bom; porque a sua misericórdia dura para sempre" (1 Crônicas 16.34).

Sei que esse é um tópico enorme para se discutir, pois causa impacto em nossas vidas todos os dias e tem implicações para a eternidade. Entendo também que hoje é segunda-feira, o alarme da secadora está soando e você tem que tirar suas roupas de lá antes que amarrotem. Em seu caminho até a lavanderia, você poderá notar no chão um fiozinho suspeito e molhado que leva ao banheiro, de onde pode ouvir sua filha, recém-treinada no uso do penico, chorando, envergonhada, tentando segurar as lágrimas. Então a campainha poderá tocar, e o som dela poderá lembrá-la de que você ignorou o alarme para uma reunião para a qual você está prestes a se atrasar.

Entendo isso perfeitamente, porque eu também vivo tudo isso.

É por esse motivo que preciso explorar como o evangelho é a realidade predominante e definidora da minha vida.

Lembrar-me de viver na graça de Deus no dia a dia do meu lar não é fácil para mim, e é por isso que eu preciso repassar o conteúdo deste livro muitas vezes. Agostinho disse o que meu coração sente: "Eu me considero um entre aqueles que escrevem enquanto aprendem e aprendem enquanto escrevem".[1]

Estou ansiosa para conhecer o "como" de como Deus planeja terminar a boa obra que começou em mim enquanto me ajusta à imagem de seu Filho Jesus (Filipenses 1.6). Quero, desesperadamente, glorificá-lo em tudo o que eu fizer (1 Coríntios 10.31). Quero ser santa em toda a minha conduta, uma vez que está escrito: "Sede santos, porque eu sou santo" (1 Pedro 1.15-16). Quero ser uma imitadora de Deus, como sua filha amada, andando em amor, como Cristo me amou e se entregou por mim (Efésios 5.1-2).

Quero viver na realidade de que fui trazida a Deus através de seu Filho. "Pois também Cristo morreu, uma única vez, pelos pecados, o justo pelos injustos, para conduzir-vos a Deus; morto, sim, na carne, mas vivificado no espírito" (1 Pedro 3.18).

UM BALDE DE ÁGUA FRIA
PARA UMA ALMA ADORMECIDA

Eu costumava acreditar que a jornada de santificação — a aventura de Deus trabalhando em mim tanto o querer quanto o realizar segundo a sua boa vontade (Filipenses 2.13) — só seria bem-sucedida quando eu estivesse livre das "distrações" da minha vida.

Como resultado do meu pensamento falho, vi meus papéis de esposa, mãe, dona de casa e até mesmo de ministra do evangelho como coisas que me prejudicavam ou me tiravam de minha vida espiritual. Essa perspectiva dominava minhas atividades do dia a dia. Por exemplo, se eu ajustasse meu despertador para tentar acordar antes de um dos meus bebês e tivesse meus planos frustrados por alguma razão, logo pensaria: "Bem, lá se vai minha comunhão com Deus hoje! Muito obrigada, _____!".

Parte do meu despertar ocorreu quando tivemos mais filhos. Minha ansiedade em tentar "ter algum tempo com Deus" piorou e, de repente, percebi que minha vida de oração havia se reduzido à sua quase inexistência. O comentário de Tim Keller sobre a oração foi um balde de água fria para minha alma adormecida: "Sua vida de oração particular é um dos principais indicadores de que seu cristianismo vem de dentro e é verdadeiro, e não apenas o resultado de seu ambiente".

Eu havia permitido que minha vida espiritual fosse reduzida a uma poltrona com uma xícara de café quente em uma casa tranquila, sem qualquer ruído, desordem ou _vida_. Precisava renovar minha mente de acordo com o evangelho (Efésios 4.23).

Este livro trata do modo como experimentamos a graça do evangelho ao vivermos nossa rotina no lar. Não é sobre como transcender a "um lugar feliz", acima da realidade da vida no lar. Não é sobre como saborear a nossa vida cotidiana e estimá-la como se fosse uma fonte de satisfação plena se apenas nos esforçássemos um pouco mais.

Vislumbres da Graça fala a respeito de como o poder de Deus no evangelho pode nos transformar para a sua glória, ao vivermos pela fé — bem onde estamos, na vida cotidiana de nossos lares. Este livro aborda como Deus nos renovou à sua semelhança em retidão e santidade, provenientes da verdade (Efésios 4.24). A graça de Deus, em Cristo, nos muda radicalmente. Mas como ele muda a nossa forma de lavar a mesma louça todos os dias? Como o evangelho muda a reação do nosso coração quando ouvimos a campainha tocar durante o jantar?

APENAS ME ALIMENTE COM O EVANGELHO

A um custo incompreensível, Jesus morreu para nos reconciliar com Deus. Sua vida e morte não foram apenas bons exemplos para seguirmos. Quando nos arrependemos de nossos pecados, acreditando que a morte de Cristo na cruz foi por nós, em nosso lugar, Deus nos salva. Ele nos perdoa em Cristo (Efésios 4.32). Ele nos resgata "pelo precioso sangue, como de cordeiro sem defeito e sem mácula, o sangue de Cristo" (1 Pedro 1.18-19). Deus nos justifica como se nunca tivéssemos pecado, ao nos dar a justiça de seu Filho perfeito (Filipenses 3.9).

"No qual temos a redenção, pelo seu sangue, a remissão dos pecados, segundo a riqueza da sua graça, que Deus derramou abundantemente sobre nós em toda a sabedoria e prudência" (Efésios 1.7-8). Em momento algum podemos dizer: "Consegui! Foi um trabalho árduo, mas eu dei o meu melhor e consegui". Não, é *Deus* quem nos salva: "Porque pela graça sois salvos, mediante a fé; e isto não vem de vós; é dom de Deus" (Efésios 2.8).

Deus sela os crentes em Cristo com o Espírito Santo habitando em nós. E assim, ele começa o seu trabalho contínuo de santificação em nós, enquanto o Espírito Santo nos assegura de que somos filhos de Deus. Por meio de seu trabalho e graça, Deus muda a dinâmica de nossos corações, de modo que buscamos cada vez mais estar com ele. Deus também fornece a força de que precisamos para sermos como ele.

À parte do conhecimento de Deus, não teríamos esperança de sermos sábios pais, cônjuges, amigos, varredores de chão ou pagadores de contas. Mas porque Deus ressuscitou Jesus dentre os mortos e lhe deu glória, nossa fé e esperança estão no Senhor (1 Pedro 1.21) e não em nossas circunstâncias transitórias ou no conforto de nossos lares e rotinas meticulosamente planejadas.

Eu disse ao meu marido, assim que comecei a escrever este livro, que, uma vez que ele aborda o modo como o evangelho se aplica à vida, significaria, então, que há um número ilimitado de capítulos para se escrever. Imaginei-me apenas digitando o evangelho repetidamente, de modo a preencher uma lacuna em forma de livro, entre duas capas atraentes. E é isso que tentei fazer: ilustrar ideias com exemplos pessoais do lar.

Não há nada que eu possa dizer neste livro que o evangelho já não tenha dito, por isso só espero continuar apontando-o e voltando a ele, de todas as maneiras que eu puder. Minha alma necessita que eu me regozije em Deus por meio do evangelho, e espero que a sua alma também se beneficie com isso.

Estou feliz em ter você comigo nesta aventura.

Estão contidas no evangelho as brilhantes manifestações do caráter de Deus — razão pela qual precisamos de uma eternidade para contemplá-las e apreciá-las! Discutiremos como Deus cujo "amor é tão grande que alcança os céus; a tua fidelidade vai até às nuvens" (Salmos 57:10) está realizando um trabalho poderoso em sua vida, bem debaixo do teto de sua própria casa.

Como se diz no desenho animado favorito da minha filha, metida a cozinheira, em que um rato é chefe de cozinha: "Mãos à obra!".

Parte I

SEU ALICERCE NO COTIDIANO

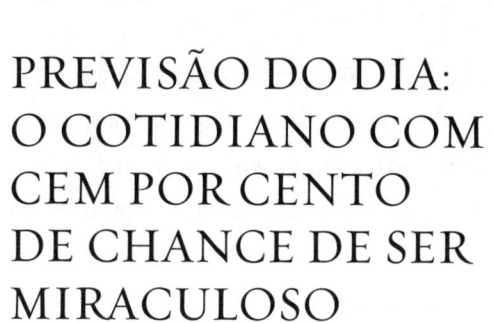

Capítulo 1

PREVISÃO DO DIA: O COTIDIANO COM CEM POR CENTO DE CHANCE DE SER MIRACULOSO

De novo. Ele deixou o copo de vitamina sobre o balcão durante a noite *de novo*. Meu marido, Dave, é um homem brilhante e talentoso. Porém, às vezes, coisas comuns relacionadas à cozinha fogem à sua capacidade.

UVAS GRUDADAS E SENDO RUDE

Agora não havia a menor chance dos pedaços de uva incrustados saírem do copo sem que eu fizesse grande esforço. Comecei a falar comigo mesma (você também faz isso?). "Eu não tenho tempo para isso", resmunguei. Rangi meus dentes com força e comecei a esfregar vigorosamente e, quando Dave passou pela cozinha, suspirei raivosamente e aumentei a intensidade das esfregadas. "Nossa, espero conseguir limpar este copo que você não enxaguou".

Dave se desculpou e disse que tinha simplesmente esquecido.

"Que falta de educação", pensei. "Ele sabe o quanto eu trabalho. O mínimo que poderia ter feito era enxaguar o copo. Mal-educado...". Mas, na verdade, eu era a malcriada e sabia disso. O Espírito Santo me trouxe à mente a famosa passagem acerca do amor em 1 Coríntios 13: "O amor é paciente, é benigno; o amor não arde em ciúmes, não se ufana, não se ensoberbece, não se conduz inconvenientemente, não procura os seus interesses, não se exaspera, não se ressente do mal; não se alegra com a injustiça, mas regozija-se com a verdade; tudo sofre, tudo crê, tudo espera, tudo suporta. O amor jamais acaba." (1 Coríntios 13.4-8). A Nova Versão Internacional traduz o versículo oito como "o amor nunca perece".

Eu sabia que havia falhado em mostrar amor. De novo. Eu falho nisso todos os dias. Que esperança há para mim em entregar minha vida em sacrifício como Jesus fez, quando não consigo amar os outros ao fazer algo tão simples, como lavar um copo? Minha única esperança deve estar no Deus que é "compassivo, clemente e longânimo e grande em misericórdia e fidelidade" (Êxodo 34.6).

DEUS GOVERNA O SEU DIA A DIA?

Esse é um exemplo tão estereotipado da minha vida. Sou esposa de um ocupado implantador de igrejas e mãe de três filhos, o mais velho com quatro anos. Vivemos no Oriente Médio, onde a areia permeia cada fresta nas janelas e portas, deixando, para eu varrer, uma película arenosa por todo o assoalho. Lavo oito cestos de roupa suja e corto as unhas de todos da minha família uma vez por semana.

Minha vida é totalmente normal.

Por isso amei escrever este livro. Necessito dessa mensagem de graça e esperança todos os dias. É por isso que, às vezes, me lanço em uma atitude de autopiedade, como a que você acabou de ler. Costumava pensar que esse tipo de atitude amarga sobre cuidar da casa era necessária, aceitável e até mesmo um rito de passagem. Afinal, um estímulo comum para alguém no meio das trincheiras do lar ou criando os filhos é consolar-se com pensamentos como "isso também passará"; "sofremos e suportamos"; e falamos sobre tudo o que faremos "algum dia" quando nossas vidas "voltarem ao normal".

Essas frases, tão comuns, costumavam ser o resumo da minha esperança. Eu acreditava que se pudesse passar por essa temporada horrível e aparentemente interminável, então sairia do outro lado machucada e desgastada, mas com a missão concluída. Talvez, desse modo, eu estaria livre para servir ao Senhor com alegria e ficaria satisfeita.

Mas eu estava errada.

Quando compareci a uma conferência para casais, ministrada por Paul Tripp, ele disse algo que me devastou. Tripp disse: "Se Deus não governa seu dia a dia, então ele não governa você. Porque é nele que você vive". Momentos dramáticos e com poder de transformar a vida se apresentam raramente durante nossa existência — por isso são dramáticos. Os demais dias são vividos de modo comum, ordinariamente secular.

A administração do lar é a minha rotina. Independentemente de como seja o seu dia a dia, tenho certeza de que podemos concordar: é nele que vivemos.

GLORIFIQUE A DEUS
EM TUDO O QUE VOCÊ FIZER

Eu sei que servir minha família é o mesmo que servir a Jesus e, ao administrar meu lar, devo trabalhar como para o Senhor. Colossenses 3.23-24 diz: "Tudo quanto fizerdes, fazei-o de todo o coração, como para o Senhor e não para homens, cientes de que recebereis do Senhor a recompensa da herança. A Cristo, o Senhor, é que estais servindo."

Devemos considerar a gestão da nossa casa "como a criação de um organismo vivo que produz a paz de Cristo e a retidão de Deus"[1]. Declarações como essa me incentivaram muito.

Eu já acreditava nas Escrituras ao exaltar o papel de uma dona de casa como algo de enorme valor. Não tive nenhum problema em ver o cuidado do lar de modo significativo à luz da eternidade. Perspectiva eterna? Feito. Contudo, e *hoje*? Como o "hoje" está incluído no escopo da eternidade? O comentário de Tripp me fez lembrar que a Bíblia tem muito a dizer sobre o ordinário. 1 Coríntios 10.31 diz: "Portanto, quer comais, quer bebais ou façais outra coisa qualquer, fazei tudo para a glória de Deus.".

Sim! *É claro* que eu quero glorificar a Deus! Ele é o presente supremo de todo o universo, ele é digno de tudo o que há em mim. No cerne do meu ser, meu maior desejo é trazer glória a Deus. Considerei, até mesmo, transcrever o Catecismo de Westminster em minha parede para me ajudar a lembrar desta verdade:

Questão 1: Qual é o fim principal do homem?
Resposta: O fim principal do homem é glorificar a Deus e gozá-lo para sempre.[2]

Se eu deveria cumprir ou não meu objetivo de glorificar a Deus em tudo, não estava em questão. Eu sabia que viver para a sua glória deveria ser a minha maior alegria. Meu problema era simplesmente *como*? *Como* eu posso dobrar as roupas e separar brigas entre irmãos para a glória de Deus quando estou tão propensa ao fracasso por causa do meu pecado? *Como* o evangelho me torna uma mulher que limpa, com paixão, banheiros e narizes sujos, como para o Senhor? *Como* o evangelho me faz uma mulher que se preocupa em honrar a Deus na maneira com que dobra as roupas e serve o jantar?

Como minha cidadania no céu (Filipenses 3.20) muda o modo como administro a minha casa?

FRALDAS PODEM COLOCAR SEU CORAÇÃO E SUA MENTE EM COISAS SUPERIORES

Se o "mundo" de Deus é para pessoas do dia a dia, que fazem coisas do dia a dia, então, certamente, as Escrituras falam sobre como podemos engrandecer a Deus em meio ao cotidiano. E se os momentos corriqueiros, de pratos e fraldas, podem ser realizados com o objetivo de desfrutarmos de Deus, logo, a vitalidade espiritual que experimentaremos em nossa casa não é nada menos que milagrosa.

A oportunidade de crescimento em santidade se encontra bem debaixo do seu nariz — sentada na lava-louça morna, apodrecendo no cesto de roupas sujas, em sua mesa de jantar abarrotada e sob o banco do carro, onde seu bebê guardou as sobras da barra de cereal para mais tarde. Claro, aquele mofo cabeludo pode estar crescendo ali, mas nesses momentos também ocorre o crescimento em santidade.

Exatamente de onde estamos, podemos ter vislumbres da graça ao aprendermos passagens como Colossenses 3.1-3, que diz: "Portanto, se fostes ressuscitados juntamente com Cristo, buscai as coisas lá do alto, onde Cristo vive, assentado à direita de Deus. Pensai nas coisas lá do alto, não nas que são aqui da terra; porque morrestes, e a vossa vida está oculta juntamente com Cristo, em Deus".

Poderosamente, Deus traz nosso ministério à existência e nossas obras realizadas pela fé (2 Tessalonicenses 1.11). Assim sendo, aquela enésima fralda suja pode ser um meio significativo do trabalho transformador de Deus em sua vida.

A CRUZ, A COROA E A "MULHER DE TITO 2"

Vamos observar o capítulo 2 de Tito como um exemplo. Tito 2 é uma lista básica e prática de qualidades que uma mulher piedosa deve ter e fazer. As mulheres devem ser sérias em seu proceder, não caluniadoras ou escravas do vinho (Tito 2.3). As mulheres devem ser sensatas, honestas, boas donas de casa, bondosas e submissas ao marido (Tito 2.5). As mulheres devem ser mestras do bem (isto é, a "sã doutrina" em Tito 2.1), a fim de instruírem as jovens recém-casadas a amarem ao marido e a seus filhos (Tito 2.4).

Tito 2 contém não só uma lista de tarefas que você poderia colocar num lembrete em seu espelho do banheiro. Tito 2 também nos dá a motivação para fazer tais coisas, para "que a palavra de Deus não seja difamada" (Tito 2.5) e "a fim de ornarem, em todas as coisas, a doutrina de Deus, nosso Salvador" (Tito 2.10). A motivação não pode ser escrita num lembrete — ela deve ser escrita no coração.

Como esse motivo para adornar o evangelho de Deus se inscreve em nossos corações? Nossos corações devem ser transformados por Cristo. O versículo 11 diz: "Porquanto a graça de Deus se manifestou salvadora a todos os homens". No versículo 12, Paulo acrescenta que essa graça está "educando-nos para que, renegadas a impiedade e as paixões mundanas, vivamos, no presente século, sensata, justa e piedosamente".

A motivação do evangelho é apresentada com a promessa de uma esperança futura. Ao fazermos essas coisas, estamos "aguardando a bendita esperança e a manifestação da glória do nosso grande Deus e Salvador Cristo Jesus, o qual a si mesmo se deu por nós, a fim de remir-nos de toda iniquidade e purificar, para si mesmo, um povo exclusivamente seu, zeloso de boas obras" (Tito 2.13-14).

É neste ponto que a fé entra e é neste ponto que vem a hora da verdade. Quando olho para a cruz e vejo que Deus não poupou seu próprio filho por mim (Romanos 8.32) e aguardo por sua promessa de glória futura (Tito 2.13), ele me dá o poder de limpar, com

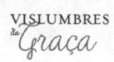

alegria, a bagunça do meu marido, que se esqueceu de enxaguar o copo, e não ferver de raiva, atacando-o verbalmente.

UM ERRO NÃO JUSTIFICA O OUTRO

Posso imaginar o que você deve estar pensando neste momento, porque estou pensando nisso também. Acredito que isso seja verdade, mas tenho muitas coisas indo contra mim. Não consigo manter essa ideia em minha mente tempo suficiente para meditar sobre ela. Já posso ouvir os sons constantes do bebê vindo do quarto ao lado pela babá eletrônica. Não posso aplicar essas verdades com regularidade. E se não for apenas um copo sujo, mas uma casa inteira, dentro da qual parece ter se desencadeado uma tempestade de areia? O que fazer então?

Preciso ter meu coração transformado.

Se você é como eu, já deve estar, portanto, pronta para desistir. Isso é tão tentador para mim. Observo os padrões elevados de santidade e sei que não posso alcançá-los. Nesse caso, poderia apenas voltar aos pratos sujos, resmungando comigo mesma e fazendo comentários sarcásticos sobre "quantas vezes eu lembrei de você", esperando envergonhar meu marido a ponto de fazê-lo confessar, sinceramente, como ele estava errado e eu estava certa (quando é que essa estratégia funcionou mesmo?).

Ou eu poderia abordar essa situação de uma maneira diferente. Sei que a Bíblia diz para fazermos todas as coisas sem murmurações e para, em lugar disso, nos agarrarmos ao evangelho (Filipenses 2.14); e eu quero fazer o que é certo. Deus nos ensina como amarmos uns aos outros (1 Tessalonicenses 4.9). Desejo honrar a Deus em tudo que faço, assim como 1 Coríntios 10.31 diz que eu deveria. Decido que preciso tentar mais. Portanto fixo um bilhete com Filipenses 2.14 à janela sobre a pia, para que eu seja lembrada de não pecar. E então lavo a louça e controlo minha língua enquanto meu marido passa pela cozinha. Daí em diante, consegui evitar os comentários ofensivos e o bater de pratos com o propósito de obter a atenção de meu marido e um possível pedido de desculpas. Bom trabalho, Gloria, você conseguiu. Parabenizo a mim mesma por um trabalho bem feito. Meu convencimento, no entanto, revela que tenho ainda outro problema em minhas mãos: a autoaprovação. A tolerância que mostrei na cozinha aparentemente não era fruto do Espírito. Ela estava enraizada em orgulho pecaminoso. No fim do dia, estou mergulhada na autoaprovação — regozijando-me em orgulho ou me deprimindo em culpas, pelo fato de que poderia ter feito um trabalho melhor.

Os pratos sujos não são o maior problema em minha vida, ainda que pareçam ser, quando estão empilhados até o teto, tendo eu um milhão de outras coisas para fazer. O maior problema na minha e na sua vida é o pecado. Como posso me colocar diante do Deus que faz todas as coisas baseadas em seu caráter, caráter esse que inclui justiça perfeita (2 Tessalonicenses 1.6)?

JESUS: A ÚNICA ESPERANÇA DE UMA DONA DE CASA

Então, o que pode ser feito? É evidente que não podemos viver nossas vidas sem lei, criticando de forma irresponsável as pessoas para nos fazer sentir melhor. E não podemos apenas reunir a nossa autodeterminação e força de vontade para "fazermos a coisa certa". Eu simplesmente não posso fazer isso. Não importa a maneira que escolha, eu não agrado a Deus.

Felizmente há alguém que o agradou. Jesus fez tudo sem reclamar, incluindo ir para a cruz para morrer em meu lugar, levando meu pecado sobre si. Jesus é o único homem, que vive em submissão sincera a Deus Pai. A Bíblia ensina que Jesus não só é o meu exemplo, mas também é o meu Salvador. Sua morte expiatória fez exatamente isso — expiou (pagou por) meus pecados. E ele não permaneceu morto. Jesus é aquele que diz "estive morto, mas eis que estou vivo pelos séculos dos séculos e tenho as chaves da morte e do inferno" (Apocalipse 1.18). Quando me agarro a Jesus por meio da fé, como minha única esperança de agradar a Deus, ele declara que sou justificado. A justiça de Cristo se torna minha. Isso é graça.

A graça que me foi mostrada na cruz e a graça futura pela qual espero me impedem de ter duas posturas mortais:

Eu sou uma dona de casa terrível. Eu sei que deveria ser melhor e não tenho justificativas. Por que não posso ser como uma pessoa qualquer, com a vida em ordem? Eu me sobrecarrego de culpa e condenação e me afundo em orgulho. Sim, orgulho. Preferiria me reprimir em autodepreciação introspectiva a me arrepender e procurar por Cristo, em busca de aceitação e força para viver cada momento.

Eu sou uma dona de casa incrível. É realmente notável o modo como consigo lidar com todas essas coisas de forma equilibrada. Minhas amigas vivem me dizendo isso. Eu me disciplino para fazer as coisas e, independentemente do que aconteça, obtenho sucesso, além de nem um fio de cabelo ficar fora do lugar enquanto as faço. Francamente, não consigo entender por que mulheres comuns, que têm menos em suas mãos, parecem não conseguir sequer administrar os problemas que têm. Eu me encho de orgulho e hipocrisia. Preferiria afundar em minha própria glória do que na glória de Cristo, quando ele se entregou por mim na cruz para garantir meu futuro.

Então a graça me lembra de viver a realidade do evangelho e do futuro que me foi prometido. Em virtude do que Cristo já fez em meu nome e fará por mim no futuro, posso rejeitar o desprezo culposo e a exultação orgulhosa.

Milton Vincent faz a seguinte colocação: "A justiça de Deus, creditada a mim por meio de Cristo, não é meramente algo em que descanso, mas também a realidade salvadora pela qual Deus me governa"[3].

Além disso, como resultado do trabalho de Cristo na cruz, tenho tudo o que preciso para a vida e para a piedade (2 Pedro 1.3-4), e todas essas coisas são presentes que eu não mereço. Deus é gracioso comigo "conforme a sua grande misericórdia" (1 Pedro 1.3).

JESUS MORREU POR MIM.
EU POSSO CONFIAR NELE.

Essa graça me torna mais humilde. O fato de Jesus se permitir ser levado como um cordeiro para o abate e não responder àqueles que o injuriaram — isso me tira o fôlego. O fato de Deus ter mandado seu Filho para morrer por mim e me garantir "uma herança que jamais poderá perecer, macular-se ou perder o seu valor" (1 Pedro 1.4) — desconcerta-me.

O regozijo do Senhor me fortalece e motiva a ceder meu tempo a outros, ao lavar seus pratos enquanto anseio , pela fé, ouvir meu Salvador dizer: "Muito bem, servo bom e fiel". Ao doar meu tempo e energia, com alegria e humildade, para lavar a louça que meu marido deixou para trás, eu não perco nada e ganho tudo.

Viver a realidade do evangelho e a promessa futura de glória me motiva a amar os outros como Jesus ama. Recebi misericórdia em Cristo Jesus (1 Pedro 2.10). Esta tarde, na pia da minha cozinha, devo estar confiante de que o que ele prometeu para mim, no futuro, acontecerá. Isso é fé.

Aqui estou eu, na pia da minha cozinha, esfregando pedaços encrustados de mirtilo dentro de um copo. Contudo, ao invés de lamentar minhas inadequações em servir com alegria ou me exultar, de maneira orgulhosa, por ter refreado minha língua maldosa pronta para fazer comentários sarcásticos, uma dinâmica completamente diferente está acontecendo.

Isso é a fé que atua pelo amor (Gálatas 5.5-6).

Deus atua em mim por meio de sua Palavra (1 Tessalonicenses 2.13). Esse dom da graça me permite louvar ao Senhor e servir os outros com entusiasmo enquanto confesso com alegria e lágrimas de alívio: "Porque dele, e por meio dele, e para ele são todas as coisas. A ele, pois, a glória eternamente. Amém" (Romanos 11.36).

Mesmo em minhas mais sombrias dúvidas, quando novamente faço a mesma coisa no dia seguinte, a minha esperança ainda está na justiça de Cristo. O evangelho mantém minha relação com Deus baseando-se nas perfeições de Jesus, e não nas ilusões de minhas realizações religiosas. Deus me guarda e fortalece de acordo com a sua fidelidade, não a minha (2 Tessalonicenses 3.3). Enquanto meu coração se satisfaz no Senhor, posso esfregar pedacinhos de mirtilo endurecidos, porque sua bondade para comigo em Cristo, tantas e tantas vezes, me leva ao arrependimento.

MIRACULOSO NO DIA A DIA

Você vê como a vida cotidiana apresenta oportunidades para crescermos em santidade? Deus pode usar os momentos comuns de nossa vida para glorificar a si mesmo, moldando-nos à imagem de seu Filho. Isso é precisamente o que ele pretende fazer.

Pratos sujos na pia ou gizes de cera vermelhos enfiados numa tomada por uma criança curiosa não são apenas provações preocupantes em seu dia, normalmente monótono; são oportunidades para se ter vislumbres da graça.

Capítulo 2

NÃO *SMURF*
O EVANGELHO

Não consigo me lembrar da primeira vez que alguém comparti-lhou o evangelho comigo.

Não porque ninguém se importasse em compartilhar comigo as boas-novas de Jesus, mas sim porque eu não tinha ouvidos para ouvir. Havia muitas outras coisas com as quais me preocupava.

É possível que eu tenha ouvido as boas-novas da morte e ressurreição de Jesus centenas de vezes no decorrer da minha infância.

MINHA HISTÓRIA

Nasci em um país onde a liberdade religiosa permitiu que a mensagem cristã fosse transmitida pelo rádio, exposta em *outdoors* e discutida em praça pública. Por um período, vivi numa região do país chamada "o cinturão da Bíblia", onde havia igrejas em todas as esquinas. Meus pais me levavam todos os domingos à escola bíblica dominical, aos encontros da igreja e à escola bíblica de férias.

Vivendo na parte do mundo onde moro atualmente, percebo quão grande privilégio me foi dado. O fato de meus pais me levarem à igreja, celebrarem feriados cristãos e falarem sobre Jesus foi uma graça dada a mim, que meus vizinhos daqui nunca conheceram.

Não tenho lembranças em particular de todas as vezes que ouvi as boas-novas de Jesus conforme crescia. No entanto, me lembro de quando a luz da glória de Deus, através de Cristo, se espalhou sobre a escuridão do meu coração. E, a princípio, eu não queria me regozijar em seu calor. Queria me esconder. Deixe-me voltar a essa história e lhe contar como tudo aconteceu.

O término do ensino médio foi, provavelmente, a pior época da minha vida. As más escolhas que fiz naqueles anos chegaram a um ponto crítico, e me senti muito miserável. Até aquele ponto, eu tinha me dopado com as coisas que o mundo tinha a oferecer para o alívio da dor de me sentir desesperada. Associei meu valor e meus sonhos a soluções que foram de curta duração e destrutivas.

Não consigo decidir se a pior parte foi receber três multas de trânsito ao dirigir para casa após fazer algo pelo qual eu deveria ter sido presa. Ou se foi o sentimento, persistente em meu coração, de que eu estava presa num inferno em vida, no qual eu mesma tinha me colocado. E se eu senti que estava presa a esse inferno, você pode imaginar como meus pais devem ter se sentido durante esses anos sombrios. Todas as pessoas que ao longo da minha vida compartilharam o amor de Deus comigo, devem ter pensado que suas palavras entraram em ouvidos que não queriam escutar.

Ainda assim, Deus é soberano. Fui para a universidade me agarrando a um fiapo de esperança.

Pela graça de Deus, eu acreditava que ele existia e que era pessoal. Orava a ele e pedia por uma nova vida. Não sabia o que isso significava ou como poderia acontecer, mas achava que Deus era benevolente o bastante para escutar, caso uma tragédia como eu lhe pedisse ajuda.

Logo coloquei minhas coisas no baú *Rubbermaid* que meus pais me deram, dirigi até a moradia estudantil e disse "olá" para a vida na faculdade. Eu disse literalmente "olá" para a *Vida na Faculdade*. Esse era o nome do ministério universitário de uma igreja local em minha cidade universitária. Na primeira semana no *campus*, eu estava sentada numa sala no prédio da união estudantil, em fila, esperando por algo junto de alguns novos amigos. Outra estudante se aproximou e perguntou se éramos cristãos. Respondi que "sim", porque não achei que era outra coisa. Afinal, nasci num "país cristão" e não pratiquei nenhuma religião "estrangeira". "Cristã" foi o rótulo que me dei com base nessas e em outras premissas que explicarei a seguir. Uma de minhas amigas respondeu que não era cristã.

"Não importa!", a garota respondeu. "Todos estão convidados a vir até 'A Taça' hoje, para uma noite de palco livre com músicas cristãs! Vocês gostariam que eu as buscasse em seu dormitório?".

Ainda não consigo acreditar que fui a primeira a dizer "sim". Não sei por que disse "sim". Eu era e ainda sou uma pessoa tímida. Porém, mesmo assim, eu disse que sim, e dois dos meus amigos disseram que iriam também.

Fiel à sua palavra, Jamie (perguntei seu nome depois de dizer em qual dormitório eu morava) nos buscou com seu carro e dirigiu por uma quadra até "A Taça". Naquele evento, conheci muita gente, incluindo as duas Tiffanys, que conduziam juntas um estudo bíblico para calouros e que pediram que eu me juntasse a elas. Disse: "Claro, por que não?". Novamente, não posso acreditar que disse sim.

Algum tempo passou e comecei a me sentir desconfortável no estudo bíblico. Eu não conseguia orar pela garota sentada ao meu lado quando compartilhávamos pedidos de oração. Não dedicava o tempo necessário para preencher o livro de exercícios durante a semana, porque não entendia o motivo das questões. Não compreendia as respostas que as outras garotas retiravam de suas Bíblias. E eu, definitivamente, não conseguia me identificar com o modo como as Escrituras causavam impacto e *afetavam* o cotidiano delas. Quero dizer, as meninas choravam ou ficavam realmente animadas quando falavam sobre o que Deus significava para elas. Comecei a me sentir muito deslocada.

Por isso expressei meu desejo de abandonar o estudo, mas ainda permanecer no circuito com todas as atividades sociais, como jantares no *IHOP* e danças no *Billy Bob*. Porém não estava preparada para a resposta que me foi dada. Era uma pergunta: "Posso sugerir que a razão de você não se sentir confortável com o estudo bíblico é porque você não é uma cristã nascida de novo?".

Achei aquilo ridículo e, em minha defesa, citei meu currículo espiritual: *Sou americana. Somos todos cristãos. Afinal de contas, está estampado em nossas notas de dinheiro, "Em Deus nós confiamos". Frequentei a escola bíblica dominical. Fui à igreja. Fui à escola bíblica de férias. Tinha versículos bíblicos memorizados. Claro, prefiro meu pecado à minha santidade, mas e daí?*

Eu não sou tão ruim como essa ou aquela pessoa, e Deus sabe que estou dando o meu melhor. Então, o que mais falta ser feito?

Graças a Deus, minha amiga teve a coragem e a piedade de abrir sua Bíblia e dizer a verdade sobre o meu pecado.

No meio dessa conversa, ficou evidente que a Palavra de Deus havia penetrado em meu coração de pedra e me exposto à pecadora convencida que eu era. Pensei que poderia barganhar meu caminho até o favor de Deus, apontando minhas tentativas de autoaperfeiçoamento e minha relativa bondade em comparação a outras pessoas. Percebi, no entanto, que meu pecado era contra um Deus infinitamente santo. O que poderia fazer? O padrão de Deus para a perfeição é impossível. Eu não tinha ideia de com quem estava lidando, ou melhor, de quem estava lidando comigo. Ele foi o incrível criador do universo cuja pureza está além de toda compreensão.

E eu estava perdida.

Foi então, pela graça de Deus, que ouvi a boa-nova e acreditei nela.

A boa-nova de Jesus Cristo, que minha amiga havia compartilhado comigo naquele dia, é a notícia que quero explicitar no decorrer deste capítulo. O restante deste livro, por sua vez, servirá para revelar o que isso significa em nossas vidas cotidianas no lar.

PEQUENAS PESSOAS AZUIS E O "EVANGELIQUÊS"

Quando criança, eu costumava assistir ao desenho animado "Os *Smurfs*". *Smurfs* vivem em uma floresta e passam o dia fazendo coisas despreocupadamente, a menos que estejam fugindo do mago malvado que lamenta a existência deles. Os *Smurfs* têm sua própria cultura, marcada pelo comportamento normativo *Smurf* e, ainda, por palavras especiais de seu próprio vocabulário. "Está tão *smurf* lá fora!"; "Você poderia *smurfar* isto para mim?"; "Encontre aquele *smurf*!".

Smurf é um substantivo? É um adjetivo? Nem mesmo os próprios *Smurfs* têm ideia do que seja, em virtude do pouco conhecimento a respeito da palavra.

Pensando dessa maneira, o modo como os *Smurfs* se comunicam não é tão diferente da forma como alguns cristãos agem; temos nossas próprias regras de comportamento que julgamos aceitáveis e um vocabulário único. O termo pejorativo "evangeliquês" vem desse fenômeno: discutimos a nossa fé usando palavras que apenas outros cristãos podem compreender. *Mas será que realmente entendemos uns aos outros?*

Odiaria que você lesse este livro e não entendesse uma só palavra do que digo pelo fato de eu estar *smurfando*.

SMURFANDO COM O EVANGELHO POR AÍ

Fico imaginando se o significado da palavra *evangelho* tenha ido pelo mesmo caminho do vocabulário dos *Smurfs*. *Evangelho* é uma daquelas palavras que todo mundo diz, mas poucas pessoas sabem definir.

Semana passada, li um post em um blog que dizia: "Adotar uma criança e tirá-la da pobreza é *o* evangelho"; ouvi um testemunho no qual alguém disse que "acredita no evangelho"; uma canção falava sobre "obedecer ao evangelho"; um e-mail falava sobre como "o evangelho derrota a exploração sexual"; um *status* no *Facebook* mostrava como alguém estava empolgado por "ser evangélico"; e escrevi uma crítica sobre um livro a respeito das formas de se "proclamar o evangelho". O que é evangelho? É um substantivo? Um adjetivo? Uma causa? Uma mensagem? Um estilo de vida? Todos estão certos (ou pelo menos próximos) do real significado da palavra?

Esclarecimentos e definições cuidadosas são as únicas formas pelas quais podemos saber se entendemos uns aos outros corretamente. Se não somos claros sobre o que é o evangelho cristão, então o que está em jogo não é apenas um mal-entendido inofensivo, mas sim a morte e a vida eterna.

ESCLARECENDO O EVANGELHO

É claro que os cristãos de todo o mundo concordam que, segundo as línguas bíblicas antigas, o termo *evangelho* significa "boas-novas". Livros são escritos a respeito da palavra grega *euangelion*, que é usada para *evangelho* no Novo Testamento. Com base na gama de definições da palavra, teólogos oferecem diferentes perspectivas em relação ao que significa evangelho.

Teólogos dão diferentes ênfases às várias dimensões do evangelho (particular, pessoal, cósmico, global); às implicações do evangelho (graça para hoje, esperança para o amanhã, paz em relação ao passado); e seus resultados ou frutos (reconciliação com Deus, redenção da ordem criada, perdão dos pecados, comunhão restaurada, livramento do julgamento e do inferno, o dom da vida eterna).

As coisas podem ficar bem *smurfíceis* quando as pessoas descrevem o evangelho usando termos e definições que competem entre si. Um autor pode dizer que o evangelho é uma história na qual você está inserida; enquanto outro autor diz que o evangelho é o estilo de vida que você leva. E ainda podem haver outros que insistem em dizer que o evangelho é um evento histórico ou um conjunto de informações sobre o cristianismo.

Não tentarei regurgitar análises de grego neste capítulo nem listar todas as maneiras como o termo *evangelho* é usado hoje em dia. O que gostaria de fazer neste capítulo é esclarecer o que eu acredito ser uma definição e uma descrição cristã de evangelho. Sem clareza sobre o evangelho, como saberemos valorizá-lo em nossas casas?

Concordo com o comentário de Graeme Goldsworthy a respeito dessa situação *smurfal*: "Nunca é demais enfatizar que confundir o evangelho com certas coisas, ainda que sejam importantes e que andem de mãos dadas com ele, é fazer um convite à confusão teológica, hermenêutica e espiritual"[1].

Isso é bastante para se *smurfar* a respeito!

O QUE É O EVANGELHO?

O evangelho é a boa-nova do que Deus fez através de Jesus — particularmente, e de modo supremo, na morte de Jesus na cruz e na sua ressurreição dentre os mortos.

Mas por que Jesus morreu? Ele simplesmente errou a cartada política e acabou sendo vítima de um assassinato movido pela inveja?

Muitos dos meus vizinhos negam até mesmo que Jesus tenha morrido na cruz. Eles dizem que um substituto foi pendurado em seu lugar. Se isso é verdade, então Jesus não morreu como *nosso* substituto. Logo, nossa fé é inútil, e ainda estamos mortos em nossos pecados. Por que é tão importante que os cristãos afirmem e anunciem a morte de Jesus na cruz?

Jesus morreu para nos salvar de nossos pecados. Isto é o que quero dizer quando faço essa afirmação. A Bíblia diz que Deus é santo e que ele nos criou para adorá-lo. Claramente, o mundo não desfruta de um desimpedimento na adoração ao santo Deus criador. O que aconteceu então?

Deus deu um mandamento ao primeiro homem e à primeira mulher que criou: "E o Senhor Deus lhe deu esta ordem: 'De toda árvore do jardim comerás livremente, mas da árvore do conhecimento do bem e do mal não comerás; porque, no dia em que dela comeres, certamente morrerás.'" (Gênesis 2.16-17). Satanás entrou no Jardim do Éden e tentou Eva a dar uma mordida no fruto proibido. Ela o fez. E, em seguida, deu a fruta ao seu marido, Adão, que também a mordeu.

O apóstolo Paulo explica que as consequências do pecado de desobediência orgulhosa de Adão e Eva foram cósmicas. "Portanto, assim como por um só homem entrou o pecado no mundo, e pelo pecado, a morte, assim também a morte passou a todos os homens, porque todos pecaram" (Romanos 5.12). Em um ato único de desobediência contra um Deus infinitamente santo, o pecado e a morte entraram no mundo. E toda a humanidade foi, de maneira justa, condenada à morte.

Contudo, esse Deus infinitamente santo teve misericórdia. Ele prometeu um Salvador. Veja a maldição que Deus pronunciou sobre Satanás: "Porei inimizade entre ti e a mulher, entre a tua descendência e o seu descendente. Este te ferirá a cabeça, e tu lhe ferirás o calcanhar" (Gênesis 3.15).

O Salvador que Deus prometeu seria o vitorioso sobre Satanás, o pecado e a morte, e ele seria o vencedor por meio de sua própria morte e ressurreição. Ninguém previu o sacrifício do Salvador que nunca pecou, exceto o Deus que planejou tudo antes da fundação do mundo.

Para satisfazer sua ira contra o pecado, Deus requereu um sacrifício de sangue pelos pecados. O Senhor descreveu, em detalhes, na sua lei, como seria tal sacrifício: "Porque a vida da carne está no sangue. Eu vo-lo tenho dado sobre o altar, para fazer expiação pela vossa alma, porquanto é o sangue que fará expiação em virtude da vida" (Levítico 17.11).

Mas o sangue de gado e aves nunca poderia tirar os nossos pecados de uma vez por todas (Hebreus 10.11). É por isso que os sacrifícios tinham de ser oferecidos repetidamente; como o fato de você ter de lavar as mãos várias vezes ao dia para mantê-las limpas. Entre manusear carne crua na cozinha, dar descarga, trocar fraldas e pegar brinquedos mastigáveis cobertos de baba, há grande probabilidade de nossas mãos ficarem sujas. Não há nenhuma maneira pela qual podemos manter nossas mãos perfeitamente limpas, mesmo que usemos sabonetes antibacterianos a cada minuto. Eles ainda são apenas 99,9% eficazes em matar germes! Pelo menos é o que diz o rótulo.

Jesus morreu na cruz para nos dar corações limpos. O Salmo 103.12 diz: "Quanto dista o oriente do ocidente, assim afasta de nós as nossas transgressões". Quando Jesus ofereceu seu corpo na cruz, foi um ato único. Ao morrer, Jesus disse: "Está consumado" (João 19.30). A expiação havia sido realizada. Os filhos dos homens poderiam ser perdoados por confiar no Filho do Homem, que morreu em seu favor e ressuscitou dentre os mortos.

Jesus nos redimiu mediante o cumprimento da lei perfeita de Deus. A lei se resume em amar a Deus acima de todas as coisas e ao nosso próximo — uma lei que ninguém pode obedecer perfeitamente, exceto Jesus. "E eis que certo homem, intérprete da Lei, se levantou com o intuito de pôr Jesus à prova e disse-lhe: 'Mestre, que farei para herdar a vida eterna?' Então, Jesus lhe perguntou: 'Que está escrito na Lei? Como interpretas?' A isto ele respondeu: 'Amarás o Senhor, teu Deus, de todo o teu coração, de toda a tua alma, de todas as tuas forças e de todo o teu entendimento; e: Amarás o teu próximo como a ti mesmo'. Então, Jesus lhe disse: 'Respondeste corretamente; faze isto e viverás'." (Lucas 10.25-28).

Falhamos em amar os nossos maridos como deveríamos, falhamos em amar os nossos filhos como deveríamos, falhamos em amar os nossos vizinhos e amigos como deveríamos e, mais importante, falhamos em amar a Deus como deveríamos.

Só Jesus amou a Deus Pai perfeitamente e a seu próximo como a si mesmo. Quando morreu na cruz em nosso lugar, Jesus se tornou maldição por nós. Mesmo que não tivesse pecado, "carregando ele mesmo em seu corpo, sobre o madeiro, os nossos pecados, para que nós, mortos para os pecados, vivamos para a justiça; por suas chagas, fostes sarados" (1 Pedro 2.24). "Aquele que não conheceu pecado, ele o fez pecado por nós; para que, nele, fôssemos feitos justiça de Deus" (2 Coríntios 5.21).

As boas-novas são o que *Deus* fez em favor de pecadores que nunca poderiam se salvar. O evangelho é nada menos do que esta boa-nova — nós pregamos Cristo crucificado.

Quando cremos nestas boas-novas pela fé, nos arrependendo de nossos pecados e abraçando o dom gratuito da justiça de Cristo, Deus nos salva. Ele envia o seu Espírito Santo para habitar dentro de nós e selar-nos como seus por toda a eternidade (2 Coríntios 1.22). Cristo morreu de acordo com o plano de Deus, a fim de nos trazer a ele. Esta é a boa-nova. "Pois também Cristo morreu, uma única vez, pelos pecados, o justo pelos injustos, para conduzir-vos a Deus; morto, sim, na carne, mas vivificado no espírito" (1 Pedro 3.18).

De fato, as boas-novas do que Deus realizou em Jesus *incluem* tudo o que Cristo conquistou por nós em sua obra sobre a cruz. Todavia, os benefícios desta obra de Cristo na cruz não são o evangelho — eles são os benefícios e dons que nos levam a Deus. Vários livros foram escritos sobre a diferença entre a boa-nova em si e os seus benefícios.[2]

Vislumbres da Graça fala sobre como podemos valorizar o evangelho à luz da realidade de que essas boas-novas são verdadeiras.

FALSIFICANDO O EVANGELHO

Minha filha mais velha tem por natureza o hábito de checar fatos. Sempre que envio minhas instruções por intermédio de uma criança mais jovem, de modo que ela a repita em voz alta para todas as outras crianças, normalmente a próxima voz que ouço é a da minha "checadora de fatos": "*Manhê*? Você disse isso *mesmo*?".

Precisamos checar os fatos quando ouvimos coisas sobre o evangelho. Parte do ministério do apóstolo Paulo era "destruir toda altivez que se levantasse contra o conhecimento de Deus, levando cativo todo pensamento à obediência de Cristo" (2 Coríntios 10.5). Este tipo de assassinato de opiniões e encarceramento de más ideias ainda é necessário hoje. A única opinião digna de canonização é a opinião do próprio Deus conforme está escrita em sua Palavra de autoridade — a Bíblia. As únicas ideias dignas de promulgação são as encontradas na Palavra santa de Deus.

Quando uma ideia ou opinião erradas se disfarçam de evangelho de Deus ou de um benefício do evangelho, nossos ouvidos devem ficar atentos e nossas mentes devem colocar suas engrenagens para funcionar. É responsabilidade de cada teólogo verificar e reavaliar, segundo as Escrituras, as ideias flutuantes a respeito de quem é Deus, o que ele faz e o que ele deseja. E todo aquele que pensa em Deus, em um sentido muito prático da palavra, é um teólogo.

Paulo disse a Timóteo que guardasse o evangelho: "E tu, ó Timóteo, guarda o que te foi confiado, evitando os falatórios inúteis e profanos e as contradições do saber, como falsamente lhe chamam, pois alguns, professando-o, se desviaram da fé" (1 Timóteo 6.20-21; veja também 2 Timóteo 1.14). As apostas feitas em falsas doutrinas não são apenas altas — são, também, questões de morte e vida eterna.

Considere a frase "amnésia de identidade evangélica"[3]. Trocando em miúdos, a amnésia de identidade evangélica é a situação em que um cristão se esquece do evangelho de Jesus e vive na realidade de algum evangelho falsificado.[4]

Como você sabe se o evangelho pelo qual você vive é o evangelho de Jesus? Considere como especialistas aprendem a identificar dinheiro impresso ilegalmente. Eles passam a maior parte do treinamento para reconhecer dinheiro falso estudando o verdadeiro. Podemos aprender a identificar falsos evangelhos estudando o verdadeiro. Precisamos examinar o evangelho a partir das Escrituras.

AUTOJUSTIFICAÇÃO NÃO É BOA-NOVA

Uma das coisas mais populares dos falsos evangelhos é a autojustificação. As principais religiões do mundo foram construídas sobre a ideia de que a humanidade pode se elevar acima das fraquezas e enfermidades que a afligem. Podemos nos absolver dos males que cometemos se trabalharmos duro o bastante e fizermos o bem em quantidade suficiente para superar o mal. O falso evangelho da autojustificação é um grande inimigo da fé cristã, pois muitos foram enganados e levados a acreditar que isso *é* o cristianismo.

Vários dos meus amigos que se apegam a outras religiões acreditam, sinceramente, que a nossa fé é, em essência, a mesma. "Você faz coisas boas, nós fazemos coisas boas, e Deus é misericordioso. Veja, somos iguais!". Porém, essas teologias não são as mesmas. Justificar-se por meio de boas obras e ser declarado justo por causa da boa obra de Cristo não são, de forma alguma, ideias similares. Não podemos nos salvar e, ao mesmo tempo, sermos completamente dependentes de um salvador— mesmo quando utilizamos a fraca proclamação "e Deus é misericordioso" na tentativa de honrar Deus.

Gostamos de pensar que há um limite para os padrões de justiça de Deus. Queremos ser capazes de "marcar a opção", para que nossas consciências culpadas nos deixem em paz. Mas não há nenhum limite para a justiça de Deus — ele é *infinitamente* santo.

Quando rejeitamos o Filho de Deus, que foi enviado de acordo com o plano do Pai, e tentamos salvar a nós mesmos através de boas obras, deixamos de honrar a Deus. A Bíblia diz que nossas boas ações são como trapos imundos, se comparadas à justiça de Deus. A única coisa que um trapo imundo faz por nós é se esfregar nas manchas do pecado e da culpa em nossas consciências.

A FÓRMULA PARA UMA VIDA BOA NÃO É BOA-NOVA

Em seu livro Teologia Prática para Mulheres, Wendy Alsup diz: "Não se contente com o conteúdo abordado pelo calendário de mesa cristão em relação ao cristianismo. Não fique satisfeito com um provérbio de prática diária ou algum processo de três passos para ser uma boa esposa ou uma amiga melhor"[5]. Esse método de vida não só é inferior ao evangelho como também não pode oferecer o que Deus promete no evangelho.

O cristianismo não é um manual de como ter uma vida agradável. Paulo disse em 1 Coríntios 15.19: "Se a nossa esperança em Cristo se limita apenas a esta vida, somos os mais infelizes de todos os homens". Uma vida desprovida de esperança na graça futura de Deus é uma vida infeliz. Paulo diz que isso é o *epítome* de uma vida infeliz. A obra de Jesus na cruz significa mais para você do que um exemplo para o bem-estar.

A Bíblia é a história de como Deus resgata um povo que ele escolheu para adorá-lo por toda a eternidade. Apenas como exemplo, o impacto do evangelho reorienta radicalmente a maneira como você fala com as pessoas, *e* seu impacto sobre sua vida chega muito mais longe do que os problemas de comunicação que você tem com o seu cônjuge.

No final, a fórmula da boa vida não vai lhe trazer a Deus e salvá-lo de seus pecados. Somente Jesus faz isso, por meio do evangelho. Em seu pior trabalho, a fórmula da boa vida pode ajudar a criar uma ilusão de que, porque você está vivendo de maneira cristã, você deve, então, estar agradando a Deus. Na realidade, sua justiça pode ser como a dos fariseus, a quem Jesus descreveu como sepulcros caiados, com ossos de mortos em seu interior. Deste modo, a fórmula da boa vida é um fruto da autojustificação.

FAZER SUAS PRÓPRIAS REGRAS NÃO É BOA-NOVA

Se isso descreve sua abordagem em relação à vida, então é possível que você já tenha vivido o suficiente para descobrir que é a única pessoa em sua vida que aprecia totalmente sua sabedoria. A Bíblia diz que "o temor do Senhor é o princípio do saber, mas os loucos desprezam a sabedoria e o ensino" (Provérbios 1.7). De acordo com Provérbios 21.2: "Todo caminho do homem é reto aos seus próprios olhos, mas o Senhor sonda os corações".

Como perfeitamente santo e bom, o Senhor Deus é justo em julgar o pecado. Romanos 1 descreve as pessoas que rejeitam a Deus e ao testemunho de sua natureza:

A ira de Deus se revela do céu contra toda impiedade e perversão dos homens que detêm a verdade pela injustiça; porquanto o que de Deus se pode conhecer é manifesto entre eles, porque Deus lhes manifestou. Porque os atributos invisíveis de Deus, assim o seu eterno poder, como também a sua própria divindade, claramente se reconhecem, desde o princípio do mundo, sendo percebidos por meio das coisas que foram criadas. Tais homens são, por isso, indesculpáveis; porquanto, tendo conhecimento de Deus, não o glorificaram como Deus, nem lhe deram graças; antes, se tornaram nulos em seus próprios raciocínios, obscurecendo-se-lhes o coração insensato. Inculcando-se por sábios, tornaram-se loucos e mudaram a glória do Deus incorruptível em semelhança da imagem de homem corruptível, bem como de aves, quadrúpedes e répteis. (Romanos 1.18-23)

É necessário um esforço intencional para rejeitar a Deus.

Amiga, se você rejeitou o preceito de Deus para a sua vida, como eu havia feito, e se essas passagens em Provérbios e Romanos descrevem-na, por favor, escute Jesus convidá-la a se esconder nele e a abandonar seu pecado. Jesus disse: "Eu sou o caminho, e a verdade, e a vida; ninguém vem ao Pai senão por mim" (João 14.6). A cruz é a medida da santidade de Deus. Ele é infinitamente santo, de modo que apenas um que também é infinitamente santo poderia expiar os pecados contra o Deus trino. A cruz é a medida da vontade de Deus em salvar os pecadores.

O Pai é o arquiteto misericordioso deste plano para a salvação; o Filho, de bom grado, fez a vontade do Pai; e o Espírito Santo tem o prazer de trazer tudo à realização. Ainda hoje, confiando em Cristo, você se arrependeria do seu pecado?

PREGANDO O EVANGELHO PARA VOCÊ MESMA

Em um determinado ponto, na minha caminhada com Jesus, passei a pensar: "Estou tão pronta para crescer em minha fé! O que eu preciso é de mais informações sobre a Bíblia, e isso fará a diferença". Entreguei-me ao estudo rigoroso apenas para me tornar mais inteligente, pensando que a leitura de livros escritos por pessoas santas, de algum modo, transferiria sua santidade a mim.

É muito fácil permitir que o evangelho se obscureça pelos nossos próprios esforços para crescer espiritualmente. As disciplinas espirituais servem como portas de entrada para adorar o evangelho, não como seus substitutos. D.A. Carson nos adverte contra a tentativa de viver de modo cristão, mas relegando a cruz a um mero seguro contra o fogo do inferno: "Primeiramente, se o evangelho torna-se o meio pelo qual escorregamos para dentro do reino, mas todos os tratados de transformação giram em torno de disciplinas e estratégias pós-evangélicas, então constantemente estaremos direcionando a atenção das pessoas para *longe* do evangelho, *longe* da cruz e da ressurreição. Logo, o evangelho será algo que presumiremos como necessário para a salvação, mas não o que nos anima, não o que estamos pregando, não o poder de Deus"[6]. Presumir o evangelho, contando com o que Carson chama de "disciplinas pós-evangélicas" para mudança de vida, é como dar de volta à serpente do mal os seus dentes. Se resistir ao pecado e à tentação só depende de seu próprio poder e de sua própria disciplina, então, seu potencial para vencer o pecado é tão poderoso quanto a sua justiça própria.

Contudo, quem de nós preferiria confiar em nossa própria justiça? Será que alguém que está em Cristo preferiria pregar algo *diferente* do evangelho? Se o poder incomparável de Deus está à nossa disposição, por que preferiríamos confiar em nossa força inferior para o crescimento pessoal em santidade? É isso o que fazemos quando, silenciosamente, presumimos o evangelho e nos levantamos com o auxílio de disciplinas pós-evangélicas.

Então, como podemos saber se presumimos o evangelho? Mack Stiles diz, com muita propriedade, que a maneira de saber se presumimos o evangelho é: você não o ouve mais.[7] Todos falam consigo mesmos. Você está falando consigo mesma até quando acha que não está ouvindo. Pense nisso: O que você diz em sua mente quando dá uma topada com o dedão do pé? Ou ouve o telefone tocar? Ou pisa no freio do seu carro para evitar bater no carro à sua frente? Você fala consigo mesma.

Agora considere as questões de maior peso. O que dizemos a nós mesmas, quando nos tornamos conscientes da nossa distração ao seguir a Deus? De que forma nos consolamos quando nos sentimos distantes de Deus? O que dizemos a nós mesmas como solução para a nossa ansiedade e para os nossos corações inquietos? Qual é o primeiro lugar para onde nos voltamos quando queremos ver a nossa vida mudar? Indo direto ao ponto: estamos "tentando nos conectar com Deus sem depender conscientemente da morte substitutiva e da ressurreição de Jesus por nós?"[8].

Separar alguns minutos para organizar seus pensamentos ou experimentar gravar áudios (usando "lembretes verbais para si mesma" com um gravador de voz) são boas maneiras de descobrir seu fluxo de consciência, caso não esteja convencida de que você fala consigo mesma.

Todas nós passamos bastante tempo conversando com nós mesmas, e o que estamos dizendo importa. Você está dizendo a si mesma que precisa "tornar-se religiosa" e fazer um melhor trabalho para agradar a Deus? Ou lembra a si própria de que você não responde a ninguém exceto a si própria?

PAULO, O DISCO ARRANHADO

Minha comida favorita é *nacho* com molho. Acho que poderia comer isso todos os dias e nunca enjoar. É bem possível que eu pudesse ficar doente (literalmente) por comer tantos *nachos* com molho. Mas é o meu prato favorito!

O evangelho é assim. Ouvi-lo repetidamente deve ser nossa atividade favorita! E ele não fará mal ao estômago.

Uma passagem rápida pelas epístolas de Paulo nos mostra que o método de ministração favorito do apóstolo se dava por meio da pregação do evangelho vez após vez — não apenas para os não crentes, mas para os crentes também. Por diversas vezes nas epístolas, ele pregou o evangelho.

> Pregar o evangelho repetidamente e, em seguida, mostrar como ele se aplica à vida foi o método escolhido por Paulo para ministrar aos crentes, proporcionando, deste modo, um padrão de inspiração divina para eu seguir quando estiver ministrando a mim mesmo e aos outros fiéis.[9]

Martinho Lutero, em um de seus sermões, construiu uma ótima argumentação para nos lembrar frequentemente do evangelho e de seus efeitos sobre as nossas vidas: "Você está entre aqueles que dizem: 'Eu já ouvi tudo isso [o evangelho] anteriormente; por que devo ouvi-lo novamente?' Se assim for, seu coração se tornou insensível, saciado e sem vergonha, e essa comida não tem sabor para você. Essa é a mesma coisa que aconteceu com os judeus no deserto, quando se cansaram de comer o maná. Contudo, se você é um cristão, nunca se cansará, mas desejará ouvir essa mensagem muitas vezes e falará sobre ela para sempre".[10]

Os israelitas se cansaram de comer o maná. Você se cansou de banquetear sua alma nas verdades do evangelho?

ENTENDENDO COMO O EVANGELHO SE APLICA À SUA VIDA

Toda essa conversa sobre o evangelho nos leva à pergunta: qual é o ponto? Por que devemos nos preocupar com o evangelho e com a maneira como ele se relaciona com nossas vidas cotidianas no lar?

Talvez você seja uma cristã comprometida e esteja a bordo do barco dos que creem no evangelho. Você se esforça para obter seu crescimento diário em piedade por meio do evangelho. Espero que este livro sirva à sua alma, conforme você se submete, de bom grado, aos propósitos de Deus em fazê-la cada vez mais parecida com o seu Filho.

No entanto, talvez você seja aquela que luta com as dúvidas. Minha amiga, se você tiver apenas um grão de mostarda de fé de que o evangelho pode conter alguma ajuda para você em seu lar, por favor, continue lendo.

Entendo que você pode pensar que tudo isso soa um pouco *smurf*. Talvez você seja cética a respeito do evangelho de Jesus. Quero abordar essas ressalvas, por isso peço que, por favor, continue lendo.

Estou animada para explorar essas ideias com você, independentemente de onde você tenha vindo. Não consigo pensar em nada melhor do que falar sobre como podemos nos deleitar com o Deus extraordinário, que atinge a vida de pecadoras que precisam de sua graça ao viverem suas vidas cotidianas em suas casas.

Capítulo 3

O PODER DAS PARÁBOLAS

Varrer, cozinhar, sementes, pássaros, jardinagem, proprietários de casas, vizinhos — Jesus falou sobre todo tipo de coisas domésticas.

Ele se serviu dessas coisas para fazer uma observação — muitas observações, na verdade, sobre o Pai e sobre como é o seu reino. Essas histórias que Jesus utilizou para nos direcionar a nosso Pai Celestial são chamadas parábolas.

JESUS FALOU POR MEIO DE PARÁBOLAS

A Escritura nos diz que Jesus usou parábolas para duas finalidades. Primeiro, ele falou em parábolas para revelar coisas. Enquanto falava em parábolas, suas palavras vasculhavam o fingimento e expunham o coração. Ele lança luz sobre os momentos do cotidiano de nossas vidas e nos faz ver a nós mesmas na história. Em suas parábolas, Jesus pinta cenários em que podemos olhar através da lente de nossas circunstâncias comuns e ver comparações entre nós mesmas e o caráter de Deus, seu reino e sua atividade no mundo.

A segunda razão pela qual Jesus usou parábolas foi para enfatizar o ponto de que seus ensinamentos foram ocultos de pessoas que não entendem as coisas de Deus. "Por isso, lhes falo por parábolas; porque, vendo, não veem; e, ouvindo, não ouvem, nem entendem" (Mateus 13.13).

As parábolas de Jesus demonstram que as coisas espirituais são ocultas e escondidas daqueles que são cegos e surdos para as coisas espirituais. Você já esteve em uma sala de aula, em uma reunião no trabalho, em um jantar com um amigo, ou em uma conversa com seu cônjuge e, de repente, a voz dele ou dela interrompe sua linha de raciocínio com "você entende o que eu quero dizer?", e torna-se evidente para você e para a outra pessoa que você, na verdade, *não* entende o que ela está dizendo. Talvez você tenha se desligado há muito tempo. Talvez, nesse momento, você possa se envergonhar ou pedir esclarecimentos. Você pode até confessar para a outra pessoa: "eu não estava ouvindo; você poderia, por favor, repetir o que estava dizendo?".

Porém, a cegueira e a surdez espirituais diferem de sonhar acordada ou do transtorno de déficit de atenção e hiperatividade espiritual. Isso é mais do que uma condição temporária para a qual o remédio é "prestar atenção". Você não pode apenas ouvir mais de perto ou limpar seus óculos de modo a tentar se concentrar melhor para entender o ponto das parábolas de Jesus. Quando você está espiritualmente cega ou surda, há uma deficiência espiritual que a impede de conseguir fazê-lo.

Pela graça de Deus, as pessoas que não veem ou ouvem a glória dos ensinamentos de Jesus têm a oportunidade de perceber que são cegas e surdas espiritualmente. Ao olharmos para Deus em arrependimento e fé, seu Espírito nos fará conscientes de que somos cegas e surdas para as coisas espirituais. Ao passo que o Espírito Santo sintoniza nossos corações à graça, temos a oportunidade de ver como temos sido enganadas pelo nosso pecado.

Conforme ele propõe "enigmas" em suas parábolas, nos tornamos cientes da nossa pobreza espiritual. Então, por sua graça, ao nos conscientizarmos sobre nossa pobreza espiritual, podemos clamar ao Senhor em arrependimento e fé: "Abra os olhos de nossos corações para que possamos conhecer a esperança para a qual fomos chamadas!". À medida que combatemos a descrença, que possamos clamar como o pai cheio de ansiedade que duvidava da habilidade e disposição de Jesus para curar sua filha moribunda: "Eu creio! Ajuda-me na minha falta de fé!" (Marcos 9.24).

HORA DO "SILÊNCIO": UMA ILUSTRAÇÃO

Os cinemas costumam passar um pequeno comercial antes do início do filme sobre ter boas maneiras durante uma sessão. Uma voz lhe diz para colocar seu telefone celular em modo silencioso e não falar com seu "vizinho" durante o filme. Por fim, a frase "o silêncio vale ouro" enche a tela do cinema em letras garrafais.

Muitos dos meus vizinhos aqui no Oriente Médio acham que essa é uma ideia tola. Como é que você irá apreciar o filme se, enquanto assiste a ele, não pode fazer comentários e conversar com seu amigo? E se alguém vier a lhe telefonar ou mandar mensagens de texto, quão rude você seria, então, por "silenciá-lo" em virtude de um filme insignificante e inanimado! Assistir a um filme em absoluto silêncio não faz sentido em culturas que valorizam tanto os relacionamentos.

A ideia de devocional como "hora de silêncio" é algo como essa experiência no cinema. Acredito que é útil e necessário retirar-se a lugares calmos para orar e ler a Palavra de Deus. Todavia, o silêncio não é obrigatório para você ter um relacionamento vibrante com Deus.

Sua vida espiritual não se restringe às primeiras horas da manhã, antes que "os barulhentos" acordem. Se você acha que Deus se encontra com você apenas quando a casa está vazia ou calma, encarará todos os ruídos e cada "barulhento" como uma distração irritante para a sua comunhão com Deus. Ou pior: há momentos em que me sinto tentada a pensar em meu filho mais novo choramingando ou no tocar da campainha como obstáculos que Satanás colocou em meu caminho para tirar meus olhos de Jesus.

A tentação é acreditar que se você pudesse transcender essa existência desprovida de espiritualidade, poderia, assim, se encontrar com Deus em um nível superior. Este pensamento não é apenas praticamente impossível e pastoralmente inútil mas, também, antibíblico.

Mesmo assim, devemos ter cuidado para não pender muito longe para o outro lado. Quando imortalizamos o material e o elevamos como bem maior, erguemos ídolos para adorar e homenagear.

Isso pode acontecer quando atrelamos nossa razão de ser ao nosso papel atual na vida — ainda que sejam papéis como o de uma mãe ou de uma dona de casa.

Temos tantas coisas boas em nossas vidas: casa, família, marido, filhos, amigos, trabalho, conquistas e dons. Contudo, se pensarmos que essas coisas são deus, ou se impreterivelmente temos que ter essas coisas para nos conectarmos com Deus, então nosso coração criou um ídolo. Quando qualquer uma dessas coisas boas se transforma em algo de que nos ressentimos ou nos queixamos porque percebemos que é um obstáculo para a comunhão com Deus, então nosso coração criou um ídolo.

Thomas Oden diz algo sobre isso de maneira pungente: "Cada um existe em relação a valores percebidos que fazem a vida valer a pena". Ainda que realizar todas as coisas com excelência e sermos boas administradoras da nossa casa e dos nossos filhos se torne nosso objetivo, nosso foco pode facilmente ser transferido para "faça o que fizer, faça tudo para promover sua própria glória".

Esta é uma boa oportunidade para nos testar. Devemos nos perguntar com frequência (e pedir aos nossos amigos que nos perguntem também): Sua função ou identidade como dona de casa é o objeto de suas afeições? Você perde a calma quando essa identidade está ameaçada? Você serve à imagem de uma boa mãe? Você é controlada pelas coisas que julga serem necessárias para obter ou manter o seu papel?

Estas duas visões de mundo não cristãs — Deus é detestado com o cotidiano e o cotidiano é meu deus — são enganosas e destrutivas. Quando os nossos corações estão cheios dessas mentiras, deixamos de viver de maneira que honre a Deus. Algumas de nós estão espiritualmente adormecidas e precisam acordar para a realidade das implicações do evangelho. Algumas precisam acreditar no evangelho pela primeira vez. De qualquer forma, todas nós precisamos nos submeter ao poder expulsivo de uma afeição maior que é encontrada somente em Cristo.

SOLIDÃO OU CIRCO — JESUS ESTÁ COM VOCÊ

Um dos livros favoritos dos meus filhos é um livro brilhante, de capa dura, escrito por Debby Anderson, chamado *Jesus está comigo*. O livro pode ser lido (ou cantado) em voz alta, acompanhado da melodia "*Jingle Bells*". Anderson desenha crianças adoráveis de variadas etnias, em diferentes cenários — em um ônibus, em um carro — e fala sobre como Jesus está com elas, não importa onde estejam. Um dos versos é o seguinte: "Em um barco, que flutuará, Jesus comigo há de estar".

Minhas filhas leram esse livro tantas vezes, que têm versos improvisados com base na melodia e no tema. Nem eu nem meu marido conseguimos cantar a mais simples das melodias, entretanto, de alguma forma, as nossas meninas aprenderam a cantar. Certa noite, uma delas cantou no banheiro: "na banheira, que beleza, Cristo está aqui". E de maneira esperta, ela ainda adicionou: "Ah, e ele está com você também, mamãe. Mesmo que você esteja sentada no troninho". (Devo esclarecer que a tampa do vaso sanitário estava abaixada!)

Acho maravilhoso ensinar às crianças que a comunhão com Cristo não é restrita a lugares ou experiências formalmente religiosas.

Meus filhos acreditam que isso é verdade. Jesus está conosco aonde quer que estejamos, porque ele governa o mundo que criou e habita naqueles que acreditam nele.

Entretanto, algo acontece conosco, "gente grande", e ficamos presos à tirania do urgente nas coisas que podemos ver. Como é fácil relegarmos a influência de Jesus sobre nós a um cômodo em nossa casa, em circunstâncias específicas e apenas por um determinado período de tempo a cada dia!

Paz e sossego não são de suma importância. Atividades e responsabilidades não regem as nossas vidas. Porque Cristo é o fim supremo, a perda de qualquer uma destas coisas — solidão ou circo — não faz nenhuma diferença na suficiência de Cristo ou na capacidade que ele tem de dar tudo o que você precisa para a vida e para a piedade. 1 Pedro 1.15-16 diz: "Pelo contrário, segundo é santo aquele que vos chamou, tornai-vos santos também vós mesmos em todo o vosso procedimento, porque escrito está: Sede santos, porque eu sou santo.".

Deus é santo e tem comunhão conosco, que estamos em nosso dia a dia. No fim das contas, o Filho de Deus entrou em sua própria criação. O Eterno, que é antes de todas as coisas e em quem todas as coisas subsistem, tornou-se um ser humano.

Quando somos tentadas tanto a desprezar quanto a adorar nossas vidas cotidianas, precisamos nos lembrar do que Paulo disse em Romanos 12.1-2: "Rogo-vos, pois, irmãos, pelas misericórdias de Deus, que apresenteis o vosso corpo por sacrifício vivo, santo e agradável a Deus, que é o vosso culto racional. E não vos conformeis com este século, mas transformai-vos pela renovação da vossa mente, para que

experimenteis qual seja a boa, agradável e perfeita vontade de Deus".
A vida no corpo, quando apresentada ao Senhor como sacrifício vivo
por sua misericórdia, é santa e aceitável à vista dele.

Viver o seu dia a dia por amor a Deus é culto racional. Mas para
fazermos isso, precisamos realizar algumas substituições mentais.
Nossa inclinação natural é acreditar nas mentiras do mundo e ajustar
a nós mesmas, nossas casas, nossas famílias e nossos desejos ao que
vemos no mundo. Pela renovação das nossas mentes, por meio da
Palavra de Deus que opera em nós, podemos discernir como podemos honrar a Deus em nossas casas.

Passe tudo o que o mundo lhe apresenta pelo crivo da Palavra de
Deus — o que a Palavra de Deus diz sobre isso? E se esforce para ter
a Palavra de Deus agindo em você também. Ao ler a Palavra de Deus,
ele irá se agradar em lhe mostrar o que é bom, agradável e perfeito.
Peça a Deus para renovar a sua mente de acordo com a Palavra, e
ele o fará! Não posso dizer, entretanto, se essa renovação mental vai
resolver o problema de esquecimento de "cérebro de mamãe". Ao entrar na cozinha pela enésima vez em um mesmo dia e se esquecer por
que foi até lá, você será capaz de, pelo menos, discernir que a vontade
de Deus para você não é a de amaldiçoar seu "cérebro de mamãe",
mas sim a de se comprometer a escrever a sua lista de coisas para
fazer com marcador permanente em seu antebraço.

COMO A PALAVRA DE DEUS TRABALHA EM NÓS

Ah, como eu gostaria de habitar na grande magnitude da glória de
Deus o dia todo. Amaria que a minha alma acreditasse nas promessas

preciosas de Deus em todos os momentos. Contudo, a realidade é que vivemos em um mundo caído e ainda somos, de fato, pecadoras.

A centralidade do "eu" em nossas vidas acaba tendo precedência sobre meditar acerca da grandeza do Santo. Também nos distraímos facilmente com coisas insignificantes do ponto de vista eterno e ficamos obcecadas com trivialidades mesquinhas. Para dar um exemplo de minha própria vida, esta tarde, me vi com algum tempo extra e, então, me propus a orar. Sentei-me no sofá, em minha casa, e imediatamente minha mente foi invadida pelo fato de que, naquele sofá, deveriam haver duas ou três almofadas, além de uma manta sobre ele. Lá estava eu, com acesso livre e ilimitado à sala do trono do Altíssimo, por causa do presente da reconciliação com Deus comprado pelo sangue de Jesus. E tudo em que eu conseguia pensar eram *almofadas*. Para mostrar quão importante a questão das almofadas era para mim, vou confessar que a minha mente voltou a esse grande dilema todas as vezes em que passei por aquele sofá naquela noite. (Por fim, acabei pegando a almofada de outro quarto e acrescentei uma manta sobre o sofá, no caso desse dilema tê-la deixado curiosa!)

Essa ilustração do meu esforço para orar em uma tarde é apenas um minúsculo microcosmo da luta que engloba a nossa vida cristã. Queremos viver conscientemente na realidade do evangelho e contemplar o nosso Deus (Isaías 40.9). Em nossa vida e em nossa contemplação, há grande alegria a ser encontrada! Mas os cuidados deste mundo podem ser pequenos e urgentes – ou sérios e urgentes!

Caminhar com Deus em um mundo como este em que vivemos pode parecer e ser bem complicado. Sei que o meu problema naquela noite não foram realmente as almofadas, mas uma série complexa de razões que me levaram a acreditar que elas eram mais importantes do que a minha comunhão com Deus. Hebreus 12.1-2 diz que precisamos deixar de lado todo o peso e todo o pecado para que possamos correr com perseverança a corrida colocada diante de nós, olhando para Jesus. Esse "peso" inclui coisas boas que acabam se tornando inúteis — como as obsessões pelas trivialidades mesquinhas. E, é claro, "pecado" inclui coisas que, por impedirem nossa corrida, são pecaminosas.

Ver o brilho da cruz e abraçar sua mensagem são o cerne de como Deus quer trabalhar em nosso cotidiano a fim de trazer glória para si mesmo.

Ao considerarmos a verdade da Palavra de Deus e recebê-la pela fé, a Palavra *opera em nós* (1 Tessalonicenses 2.13). A Bíblia usa muitas metáforas para exemplificar o modo pelo qual o Espírito Santo de Deus, que habita em nós, usa a Palavra divina para operar em nós. Um exemplo doméstico é a fruta. A maioria de nós simplesmente vai a um supermercado para comprar frutas que estão, em geral, disponíveis em grande quantidade e dispostas de maneira ordenada em caixas, prontas para serem levadas para casa e consumidas. Acabamos nos esquecendo de que as frutas são o resultado de um processo árduo: arar o solo, plantar as sementes, regar as plantas, afastar insetos e aguardar pela colheita.

Quando compreendemos a beleza avassaladora do que Jesus fez na cruz, não queremos ter nada a ver com todas as coisas que inflam nossos egos. Quando estamos comprometidas em ver e sentir a beleza de Jesus, as coisas vãs que mais nos seduzem desaparecem ao longe.

Ao vermos a santidade de Deus, a quem a Bíblia chama de "fogo que consome", percebemos que os trapos de nossos atos hipócritas não são vestimentas adequadas para nós. Quando colocamos nossa fé em Cristo, que absorveu, na cruz, a ira do Pai por nossos pecados, já não carregamos mais aqueles pecados. Em vez disso, nos encontramos vestidas com a justiça de Cristo e sentadas aos pés de Jesus, "em nossos perfeitos juízos". A natureza transformadora do evangelho tem um impacto radical em nossas vidas cotidianas. Muitas de nós, por uma perspectiva mal compreendida da nossa santificação, passamos pela vida cristã desencorajadas. A mudança de vida é, com frequência, desprezada, como algo impossível de se realizar, "por que tentar?"; ou é entendida como algo inteiramente possível se somente colocarmos nossas mentes para realizá-la (e se tivermos as ferramentas e livros certos à disposição). Isso tem um impacto radical sobre como falamos com nossos filhos quando estamos cansadas e preferiríamos rolar na cama e ficar um pouco mais com os olhos fechados; tem um impacto radical na forma como corremos para a fila mais curta no supermercado. Viver na realidade do evangelho é viver a diferença entre reclamarmos com outras pessoas sobre algo que nos irrita e nos regozijarmos na fidelidade do Senhor, pelo seu nome.

Precisamos nos lembrar de viver na realidade do evangelho a cada dia. Porém, a prática de pregar o evangelho para si mesma não significa somente que você dê a si própria minissermões quando sente sua fé vacilante. Não. A prática de pregar o evangelho para si mesma significa que você enxerga as coisas como uma oportunidade de conversar com Deus, falar sobre Deus e receber sabedoria vinda da Bíblia durante o seu dia.

Isso significa que sua fé olha para frente, para as promessas de Deus cumpridas para você eternamente; ao mesmo tempo que ela olha para trás, para a cruz, e crê que a morte de Cristo comprou essas promessas por você.

POR QUE DEUS QUER USAR O COTIDIANO?

Quando eu digo as palavras "o presente de Deus", no que você pensa? Talvez nos rostos dos seus filhos, sorridentes e lambuzados de geleia de uva. Ou sua mente pode ver o retrato emoldurado seu e de seu marido no dia do seu casamento. Ou você pode estar sentada em uma cadeira agradável, relaxando na casa em que trabalhou duro para poder desfrutá-la. Todas essas coisas certamente são presentes de Deus. Elas são presentes "de" Deus no sentido de que provêm *dele* para serem apreciadas *por* você *para* a glória dele.

Porém, em um sentido muito real, quando dizemos "o presente de Deus", estamos, na verdade, dizendo que o presente é o próprio Deus. Deus é *bom*. "Respondeu-lhe: 'Farei passar toda a minha bondade diante de ti e te proclamarei o nome do "Senhor"; terei misericórdia de quem eu tiver misericórdia e me compadecerei de quem eu me compadecer'" (Êxodo 33.19). Ele é o Deus supremo.

Será que Deus só quer que sejamos felizes em relação às circunstâncias da nossa vida? Será que Deus só quer que tenhamos boas atitudes enquanto estamos lavando lençóis sujos pela terceira vez em uma semana? Será que Deus só quer que pensemos em nossa vida como "um copo meio cheio"? Isso é *tudo o que Deus quer?* Muitas pessoas pensam que esse é o objetivo da vida cristã. E pela forma como alguns escrevem e falam, você poderia facilmente pensar que o otimismo circunstancial é a própria essência da fé cristã.

Certamente estas coisas — uma atitude alegre e senso de esperança — são subprodutos maravilhosos de se regozijar em Deus, enquanto estamos em nossos lares. Mas isto é exatamente o que elas são: subprodutos.

A fonte da nossa fé, esperança, amor, alegria e otimismo fundamentado no evangelho é o *próprio* Deus, e não nossas coisas e circunstâncias. Isaías 61.10 diz: "Regozijar-me-ei muito no Senhor, a minha alma se alegra no meu Deus; porque me cobriu de vestes de salvação e me envolveu com o manto de justiça, como noivo que se adorna de turbante, como noiva que se enfeita com as suas joias".

Deus quer usar nossas vidas no lar para glorificar a si mesmo e nos levar a adorá-lo, porque ele é o tesouro supremo que é digno de todo nosso afeto, atenção, preocupação e força.

Deixe-me colocar de outra forma. Deus é bom, ele faz coisas boas e nos dá bons presentes para desfrutarmos. *Mas por quê?* Para quem é o louvor, o carinho, a preocupação, a adoração e a alegria em Salmos 103.1-5?

Bendize, ó minha alma, ao Senhor,
e tudo o que há em mim
bendiga ao seu santo nome.
Bendize, ó minha alma, ao SENHOR,
e não te esqueças de nem um só de seus benefícios.
Ele é quem perdoa todas as tuas iniquidades;
quem sara todas as tuas enfermidades;
quem da cova redime a tua vida e te coroa
de graça e misericórdia;
quem farta de bens a tua velhice,
de sorte que a tua mocidade se renova como a da águia.
(Salmos 103.1-5)

Esta adoração é dirigida a Deus — "Bendize ao Senhor".

POR QUE O FRUTO É TÃO DOCE?

Como cristãs, seguramente gozamos dos frutos de perseverar em Jesus. Vivemos relacionamentos nos quais o perdão é valorizado e a graça é prorrogada. Contudo, o ponto "perdoar-nos mutuamente" não é apenas sobre o ato de perdoar — é o objetivo ou meta procurada pelo perdão, a reconciliação com Deus. E ocorre da mesma forma com Deus e seu maravilhoso evangelho. O perdão de nossos pecados é um presente dado pela sua graça, mas não "o" presente. "O" presente que Deus nos oferece, por meio do trabalho de Jesus na cruz, é a comunhão eterna com um Deus santo.

"Pois também Cristo morreu, uma única vez, pelos pecados, o justo pelos injustos, para conduzir-vos a Deus" (1 Pedro 3.18). A morte substitutiva de Jesus na cruz perdoa nossos pecados — para que ele possa nos levar a Deus. "Aquele que não conheceu pecado, ele o fez pecado por nós; para que, nele, fôssemos feitos justiça de Deus" (2 Coríntios 5.21). As justas perfeições de Jesus a nós imputadas nos declaram santas como ele é santo — para que ele possa nos levar a Deus.

Jesus fez tudo isso para que pudéssemos ser livres a fim de desfrutarmos de Deus para sempre. Pouco antes de ser traído, Jesus orou por seus discípulos em João 17. No versículo 3, Jesus define a vida eterna: "E a vida eterna é esta: que te conheçam a ti, o único Deus verdadeiro, e a Jesus Cristo, a quem enviaste". E nos versículos 20-26, Jesus orou para que seus discípulos fossem unidos uns com os outros e com Deus. Jesus reiterou seu pedido no versículo 24, que é o pedido mais amoroso que ele poderia ter feito em nosso nome: "Pai, a minha vontade é que onde eu estou, estejam também comigo os que me deste, para que vejam a minha glória que me conferiste, porque me amaste antes da fundação do mundo".

DESFRUTE DE DEUS EM SEU LAR

Aparentemente, Jesus acredita que a coisa mais gratificante para nós, em toda a eternidade, é contemplar a sua glória em sua própria presença.

Ele não está ausente de nossas vidas barulhentas e caóticas; ele está conosco até o fim dos tempos (Mateus 28.20). E se ele está conosco até o fim dos tempos, então está conosco também em todas as tarefas do nosso dia a dia. Está conosco até a carne na geladeira acabar, quando ainda faltam quatro dias para ir ao supermercado. Está conosco até o fim de uma longa noite de vigília com um bebê chorando. Está conosco até o fim de uma festa em que preferiríamos não estar ou não estar recepcionando por qualquer motivo. Está conosco até o fim de uma manhã agitada de correria tentando sair de casa. Está conosco até o fim de um dia terrível em que nada pareceu sair como planejado.

Agora veremos como a presença de Deus faz diferença na maneira como vivemos nossas vidas em casa e como o evangelho de Jesus Cristo nos deu esse dom supremo.

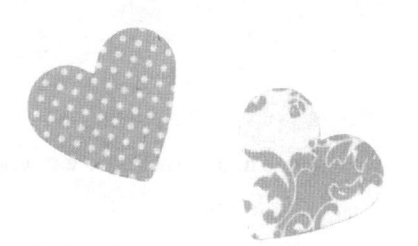

Capítulo 4

CRISTO EM VOCÊ, A ESPERANÇA DA GLÓRIA

É tentador ver a vida cotidiana como um mero ciclo monótono de fazer as camas só para deitar nelas novamente. Até mesmo o pregador, no livro de Eclesiastes, lamentou a monotonia do dia a dia: "Vaidade de vaidades, diz o Pregador; vaidade de vaidades, tudo é vaidade. Que proveito tem o homem de todo o seu trabalho, com que se afadiga debaixo do sol? (...) Todas as coisas são canseiras tais, que ninguém as pode exprimir; os olhos não se fartam de ver, nem se enchem os ouvidos de ouvir. O que foi é o que há de ser; e o que se fez, isso se tornará a fazer; nada há, pois, novo debaixo do sol" (Eclesiastes 1. 2-3, 8-9).

Quando as coisas de Deus no mundo significam tão pouco para nós, estamos funcionalmente sem esperanças. Quando tudo é vaidade, nada faz sentido ou nos traz alegria. O fato de que "Jesus Cristo, ontem e hoje, é o mesmo e o será para sempre" (Hebreus 13.8) parece irrelevante.

"Nada muda, nunca", resmungamos. A louça vai sempre reaparecer na pia e o "Monte Lavanderia" sempre entrará em erupção em mesclas de algodão. Tudo é vaidade.

Recentemente recebemos nossos amigos dos Estados Unidos para uma semana de férias aqui em Dubai. Meu marido, que é um guia de turismo consumado, adora mostrar nossa cidade. Em uma ocasião, nossas famílias foram para um aquário e almoçaram em um restaurante que tem a aparência de uma selva. O restaurante é decorado com árvores, o teto é coberto de videiras e há animais selvagens animatrônicos escondidos em cada canto.

A cada dez minutos ou mais, durante a nossa refeição, fomos entretidos por um show de luzes e sons, conforme os animais "ganhavam vida" — tigres rugindo, elefantes trombeteando e gorilas berrando. Estátuas iluminaram-se e moveram-se e, às vezes, o show imitava uma tempestade! As crianças ficaram maravilhadas, e nós, crianças grandes, curtimos observar as reações das crianças.

No entanto, a coisa mais interessante sobre o nosso almoço não foi o show da selva, mas sim a família sentada à mesa ao lado da nossa — uma mãe, um pai e uma criança em idade pré-escolar. Eles não estavam desfrutando do ambiente do restaurante. A criança estava assistindo desenhos animados em um aparelho de DVD portátil, enquanto a mãe enfiava macarrão em sua boca com uma colher. O pai estava entretido com um jornal. Aconteceu o show de relâmpagos e ao invés de tremer de emoção como todas as outras crianças no restaurante, o menino pediu para que sua mãe lhe oferecesse outro desenho animado. Poucos minutos depois, o macaco animado que pendia alguns metros acima da mesa em que eles estavam, começou a balançar em uma videira e a gritar da maneira como os macacos fazem. Em vez de gritar de alegria, o garoto exigiu um desenho animado diferente do que ele havia acabado de escolher.

Mais tarde, em um momento de reflexão filosófica, meu marido e eu conversamos sobre como não somos muito diferentes daquele garotinho. Às vezes, até mesmo as coisas mais interessantes não trazem nenhum alívio para a monotonia do cotidiano. Revolver-se é a palavra que vem à mente. Tudo é vaidade quando você está se revolvendo em tédio. Talvez essa cena do restaurante temático também lembre sua vida espiritual. Sua alma está tão cansada correndo numa feroz corrida espiritual que nada mais lhe traz alegria. Em especial as coisas que você faz em sua casa todos os dias. Você pode ser apática em relação ao seu trabalho em casa, ou até se ressentir dele.

NENHUM TESTEMUNHO DE GRAÇA É REALMENTE TEDIOSO

Às vezes, quando ouço as pessoas compartilhando seus testemunhos de como chegaram a crer em Cristo, elas dão este aviso: "Ah, meu testemunho não é nada interessante". Em seguida, falam sobre como acreditam em Deus por tanto tempo quanto elas podem se lembrar. Ou eram parte de uma igreja durante a infância e cresceram confiando em Jesus. Ou testemunham a misericordiosa providência de Deus no fato de nunca terem caído em qualquer pecado escandaloso, divisor de famílias, destruidor de relacionamentos ou violador de regras. Nesse momento, repetem seu aviso como uma conclusão: "Minha história é bem normal e desinteressante". Mas a Bíblia discorda disso:

> Ele nos libertou do império das trevas e nos transportou para o reino do Filho do seu amor, no qual temos a redenção, a remissão dos pecados.
>
> (Colossenses 1.13-14)
>
> E a vós outros, que estáveis mortos pelas vossas transgressões e pela incircuncisão da vossa carne, vos deu vida juntamente com ele, perdoando todos os nossos delitos; tendo cancelado o escrito de dívida, que era contra nós e que constava de ordenanças, o qual nos era prejudicial, removeu-o inteiramente, encravando-o na cruz.
>
> (Colossenses 2.13-14)

Ser libertada das garras de Satanás, do pecado e da morte está muito além do comum ou do desinteressante. Ter seus pecados perdoados e ser resgatada e vivificada é estarrecedor. A ideia de que o testemunho de alguém sobre a salvação comprada com sangue pode ser desinteressante ou comum é uma difamação da obra de Cristo.

Seu testemunho pode ter ocorrido na mais comum das circunstâncias mas, nos bastidores, uma batalha espiritual estava ocorrendo. O Espírito Santo de Deus removeu as escamas de seus olhos espiritualmente cegos, despertou sua alma para a luz brilhante do evangelho em face de Jesus Cristo e soprou vida em sua alma sem vida. Deus a resgatou do domínio das trevas — por mais dourada, comum ou inocente que parecesse. E ele a transferiu para o reino de seu amado Filho.

Nenhum testemunho que envolve o Filho de Deus suportando seus pecados na cruz — com o intuito de trazer você para Deus — pode ser ordinário ou desinteressante. É uma história épica de nascimento — uma história de renascimento.

A manhã em que minha segunda filha, Norah, nasceu começou como qualquer outra manhã. Rolei-me, imensa, para o lado e desliguei o despertador. Em seguida, as dores do parto começaram, antes mesmo que eu me sentasse. Administrei as contrações sozinha por um tempo; então acordei meu marido, minha filha mais velha e minha amiga Amber, que estava hospedada em casa. Eu disse: "Hora de ir!". Em torno de uma hora depois de chegarmos ao hospital, Norah nasceu. Embora os detalhes não sejam dramáticos por si mesmos, *Norah* é a coroa gloriosa dessa história. O fato dela ter nascido é o que torna esta história especial e qualquer outra coisa, menos comum.

O milagre de nascer novamente em Cristo Jesus é uma história de nascimento que é tudo, menos banal. Nunca se canse de ouvir sobre a graça de Deus escolhendo lhe dar a vida eterna! Maravilhe-se com a magnitude da misericórdia de Deus para salvar os pecadores. Valorize a disposição do Filho de Deus para morrer em seu nome, com o objetivo de que você pudesse nascer de novo pela fé. Alegre-se com o fato de que o Espírito Santo de Deus agora habita em você. Como seu testemunho pode ser *blasé*?

A soberania de Deus e a graça imerecida tornam sua história especial e nada comum.

NÃO PERCA O QUE LHE FOI CONFIADO

Mesmo que a minha vida esteja escondida em Cristo com Deus, sei, em primeira mão, que sou demasiadamente propensa ao desânimo. Minha sensibilidade ao Espírito Santo é extinta pelo meu pecado. Minha alegria no Senhor pode ser desviada pela dor. Minha admiração ao caráter de Deus pode ser iludida pela apatia.

Quando fora de controle, esses sentimentos e tendências diluem minha esperança, enganam meu coração e desencorajam minha fé. Ao me lembrar da esperança da glória que tenho em Cristo, tenho de combater as mentiras que me são apresentadas todos os dias.

Ainda esta tarde, estava pensando sobre um conflito entre duas partes que meu marido e eu estamos ajudando a resolver. Quanto mais pensava sobre isso, mais me tornava cética. Contudo, apenas uma hora antes, havia me regozijado sobre a forma como as circunstâncias pareciam ideais para que o conflito fosse resolvido muito em breve! O que mudou? Eu perdi de vista o evangelho.

Perdemos o evangelho de vista com facilidade. É por isso que o conselho de Paulo a Timóteo é crítico à nossa saúde espiritual: "Mantém o padrão das sãs palavras que de mim ouviste com fé e com o amor que está em Cristo Jesus. Guarda o bom depósito, mediante o Espírito Santo que habita em nós" (2 Timóteo 1.13-14). O Espírito Santo que habita em nós permite-nos guardar o "bom depósito", que é o evangelho. Podemos guardá-lo lembrando-o, estudando-o, falando sobre ele e o aplicando.

NÓS PRECISAMOS VER DEUS

A razão para guardar o evangelho e aplicá-lo é a mesma: o evangelho é o meio pelo qual nós podemos contemplar a glória de Deus. A lei, no entanto, perfeita e boa, não pode nos dar visão sem obstáculos para a sala do trono do Altíssimo, porque não podemos obedecê-la perfeitamente. O problema não é com a lei; o problema é com a gente.

Depois que Deus disse a Moisés: "Farei passar toda a minha bondade diante de ti e te proclamarei o nome do Senhor; terei misericórdia de quem eu tiver misericórdia e me compadecerei de quem eu me compadecer", o Senhor falou: "Não me poderás ver a face, porquanto homem nenhum verá a minha face e viverá" (Êxodo 33.19-20). Quando Moisés desceu do Monte Sinai com os dez mandamentos, seu rosto resplandecia com a glória do Senhor, e os israelitas ficaram aterrorizados. Por isso ele cobriu o rosto com um véu.

Paulo explica como podemos contemplar a glória do Senhor por causa do evangelho: "E todos nós, com o rosto desvendado, contemplando, como por espelho, a glória do Senhor, somos transformados, de glória em glória, na sua própria imagem, como pelo Senhor, o Espírito" (2 Coríntios 3.18). A simples visão de Cristo em sua glória é transformadora. Quando o Espírito Santo de Deus nos revela a glória divina na face de Cristo, somos transformadas. Não há necessidade de cobrir com véu nossos rostos, porque estamos em Cristo, e ele nos deu a acuidade espiritual de que precisamos a fim de contemplarmos a glória do Senhor.

Nesta contemplação do Senhor, encontramos a maior alegria que se possa imaginar e a glória suprema que nenhum olho viu e nenhum ouvido ouviu. "Porque desde a antiguidade não se ouviu, nem com ouvidos se percebeu, nem com os olhos se viu Deus além de ti, que trabalha para aquele que nele espera" (Isaías 64.4). "Contemple seu Deus!" é o mandamento mais amável que poderíamos receber do Senhor. Ele é lindo além de nossa capacidade humana de descrever, apesar disso, de forma exuberante, ele instrui seu povo a declarar sua glória:

> Tu, ó Sião, que anuncias boas-novas, sobe a um monte alto!
>
> Tu, que anuncias boas-novas à Jerusalém, ergue a tua voz
>
> fortemente; levanta-a, não temas e dize às cidades de Judá:
>
> Eis aí está o vosso Deus! (Isaías 40.9)

A razão "contemple seu Deus" é a boa-nova que Jesus Cristo tornou possível: vermos Deus e vivermos. Sem sua mediação em nosso nome, não poderíamos ver Deus e viver. Em Cristo, podemos ver Deus e viver *para sempre*.

TRABALHO PARA ESTUDAR CRISTO

É por isso que Richard Sibbes recomendou que devemos nos esforçar "para estudar Cristo". Estudamos Cristo porque fomos salvas com o propósito de sermos transformadas em sua imagem, e, em nossa contemplação, o trabalho de transformação ocorre. "Se é assim que nós somos transformados na imagem do segundo Adão, Jesus Cristo, então vamos trabalhar cada dia mais e mais para estudar

Cristo, para que, contemplando-o possamos ser transformados em sua semelhança. A visão de Cristo é uma visão transformadora."[1].

Estudamos Cristo porque, como estamos sendo transformadas em sua imagem, gostaríamos de reconhecê-lo quando o virmos no espelho. E depois, quando o encontrarmos face a face! "Porque, agora, vemos como em espelho, obscuramente; então, veremos face a face. Agora, conheço em parte; então, conhecerei como também sou conhecido" (1 Coríntios 13.12).

Nossos queridos amigos adotaram todos os seus cinco filhos, e todas as cinco crianças são de uma etnia diferente da dos seus pais. Seus filhos não são uma combinação de seu DNA físico. Mas eles se parecem com seus pais? Pode apostar que sim! Pegue um de seus filhos, por exemplo. Assim como sua mãe, ele tem sérios problemas com qualquer injustiça que ele venha a perceber. Aos sete anos, ele disse que se fosse o presidente de sua classe, daria mais descanso para o zelador que trabalha muito duro. E assim como o seu pai, se este se irrita com algo, em seu humor ele não tarda em irar-se.

Herdamos traços do caráter e aprendemos comportamentos a partir de nossos pais. O tempo todo me pego dizendo coisas que meus pais diziam. Aprendi como expor minhas expectativas com minha mãe e meu pai. Quando minhas irmãs e eu éramos pequenas e minha mãe nos levava a algum lugar, nós tínhamos uma conversa estimulante no carro. Minha mãe se virava para nós no banco de trás e anunciava: "Agora, eu quero que vocês três se comportem como as pequenas damas que eu sei que vocês são". Dependendo do dia, os padrões do meu pai pareciam mais razoáveis: "Vamos todos tentar agir como humanos".

Para algumas pessoas o comentário: "Você é igual a sua mãe [ou pai]" é suficiente para começar uma briga. Para um cristão, o maior testemunho da graça de Deus em nossas vidas é a observação: "Você é igual ao seu Pai". Ser conforme a imagem de Cristo é a vontade de Deus para nossas vidas.

NÓS RECEBEMOS A GRAÇA DE DEUS ATIVAMENTE

Ser conforme a imagem de Cristo não é uma atividade inteiramente passiva, como a recepção de um conjunto de genes pela concepção ou do nome da família de alguém pela adoção.

Enquanto a salvação é iniciada por Deus, não somos recipientes passivos de sua graça. Jonathan Edwards chamou essa graça de "eficaz", porque fala de sua eficácia e capacidade de realizar os propósitos de Deus em nossas vidas. Esta graça eficaz implica um trabalho de nossa parte. Como Edwards a descreve: "Na graça eficaz, não somos meramente passivos, nem Deus faz um pouco, e nós fazemos o resto. Mas Deus faz tudo, e nós fazemos tudo. Deus produz tudo, e nós agimos em tudo. (...) Somos, em diferentes aspectos, totalmente passivos e totalmente ativos."[2]. Essa mudança é 100% iniciada por Deus, 100% dependente da obra de Cristo e 100% administrada pelo Espírito Santo.

A graça eficaz de Deus pode ser descrita nos termos das diferentes formas que você coloca pijamas em um bebê. Meu filho prefere correr pelado depois que toma banho. Ele até tenta escalar para fora da banheira, antes de todo mundo estar ensaboado e enxaguado, a fim de aumentar suas chances de conseguir correr nu como veio ao mundo.

Tudo são diversão e jogos, até que um bebê nu tem um "acidente" no tapete, então rapidamente o persigo para colocá-lo em sua fralda. Algumas noites ele foge gritando e se esconde sob mesas e atrás de cadeiras, tentando evitar o inevitável. Algumas noites, calmamente, se deita na cama, enquanto coloco sua fralda, e pode até vir a esticar as pernas para dentro do pijama que seguro.

De qualquer maneira, quando tenho que lutar para colocar suas roupas, ou quando, pacificamente, ele se submete ao trabalho que estou fazendo, aquele bebê nunca foi para a cama sem fralda e pijamas. Deveríamos amar nos submeter à graça eficaz de Deus, pois ele se propôs a fazer-nos mais semelhantes a Cristo! Contudo, às vezes, somos como um bebê nu se escondendo atrás do sofá, relutante em ficar quieto e permitir, com gratidão, que Deus trabalhe em nossos corações e nos prepare para o que ele reservou.

O nosso crescimento em santidade é iniciado e produzido por Deus, e devemos persegui-lo ativamente. A Bíblia usa algumas descrições físicas que carregam o sentido de nossa participação na graça: nós "andamos em amor", "corremos" e "combatemos o bom combate da fé". Você compreende a ideia de que crescer na graça é trabalho suado, duro. Deus trabalha em nós, conforme desenvolvemos nossa própria salvação. "Assim, pois, amados meus, como sempre obedecestes, não só na minha presença, porém, muito mais agora, na minha ausência, desenvolvei a vossa salvação com temor e tremor; porque Deus é quem efetua em vós tanto o querer como o realizar, segundo a sua boa vontade" (Filipenses 2.12-13).

Esse tipo de graça nos liberta para amar a Deus! Porque Cristo adquiriu a salvação por nós, podemos orar como fez Agostinho: "Dá-me a graça de fazer o que o Senhor comanda, e manda-me fazer o que quiser! (...) Quando seus comandos são obedecidos, é do Senhor que recebemos o poder para obedecê-los."[3]

A PERSPECTIVA CORRETA DA ETERNIDADE

Acho que todas nós podemos nos animar com o potencial da graça em nossas vidas, a fim de nos fazer crescer, nos transformar e nos tornar mais semelhantes a Cristo. Nosso problema talvez seja que as alternativas para crescer na graça são, às vezes, mais atraentes do que o trabalho duro, o constrangimento e até mesmo o sofrimento em buscar a santidade. Somos pecaminosas; tendemos em direção à apatia no que concerne à santidade.

Fazemos escolhas diariamente, e nessas milhares de pequenas escolhas é formado o nosso caráter. Você é uma daquelas que escolhe trabalho duro, dificuldade e dor pelo bem do crescimento em Cristo? Ou é uma daquelas que prefere a estagnação espiritual e faz as escolhas de acordo com isso? Ter uma perspectiva que leva em conta a eternidade ajuda quando vamos tomar decisões. Por exemplo, se você usa óculos ou lentes de contato, não é uma boa ideia maquiar-se sem eles. Sua percepção de profundidade é distorcida, e você não consegue ver os detalhes ou o panorama geral de seu rosto. A pior coisa que poderia acontecer se você se maquiasse sem seus óculos é acertar sua bochecha com um pincel de máscara para cílios ou usar lápis delineador para olhos em seus lábios. Esses tipos de erros são engraçados e até embaraçosos.

Em contrapartida, e se você pegar, por engano, o removedor de esmaltes quando estava buscando o removedor de maquiagem para os olhos? Poderá acabar na sala de espera do consultório médico com muita dor. Esse tipo de erro é mais doloroso do que embaraçoso.

E se você precisa de lentes corretivas para dirigir e deixa de usá-las durante a condução? Estaria descumprindo a lei. As consequências poderiam ser mortais se você se envolvesse em um acidente de carro. O resultado para um erro como esse é muito mais grave e devastador.

Fazer coisas que requerem visão precisa pode ter resultados terríveis se você deixar de utilizar a assistência necessária. É assim também com as decisões que tomamos todos os dias em relação ao nosso crescimento em santidade. Quando a nossa perspectiva desta vida é míope, passamos a acreditar que o que está a nossa frente é tudo o que existe. Resistimos em fazer as coisas difíceis inerentes a andar em amor. Desprezamos o trabalho duro que nos leva a disputar a corrida. Evitamos a dor que resulta da luta pela nossa fé, optando por não lutar.

Somos como aquele garotinho no restaurante temático, que estava cercado por coisas maravilhosas, projetadas para agradá-lo. Porém, por falta de uma metáfora melhor, ele já estava saturado. Não havia mais espaço em sua imaginação, porque talvez ela estivesse entorpecida, encolhida e decepcionada.

· Todos os dias temos oportunidades para nos alegrar em Deus. Estamos cercadas pelas circunstâncias que ele determinou para a nossa santificação. A graça de Deus para nós, em Cristo, nos dá a segurança para segui-lo por onde ele nos guiar, mesmo que seja para o constrangimento, para o trabalho duro e/ou para a dor. Todos os dias, porém, ignoramos os instrumentos que Deus usaria em nossas vidas para nos tornar santos. Se não os estamos ignorando, então podemos adorá-los como deuses em seu lugar.

A graça triunfante de Deus na obra de Cristo na cruz nos assegura disto: quando a nossa esperança está na glória de Deus, para nós e para os outros, nossa vida no lar pode ser tudo menos monótona, insignificante e decepcionante.

Essa conclusão parece elevada, hiperespiritual e *smurfal*, mas suas implicações são difundidas em nossas vidas cotidianas de maneira muito mais abundante do que você pode imaginar. É sobre isso que o resto deste livro trata.

Parte 2

O MILAGROSO
NO COTIDIANO

Capítulo 5

O PODER DIVINO E AS PROMESSAS PRECIOSAS PARA A ALIMENTAÇÃO ÀS DUAS DA MANHÃ

Ouvi dizer que a transição de dois para três filhos seria mais difícil do que ir de zero a um, ou de um a dois. Mas isso era ridículo.

EU NÃO ACHO QUE CONSIGO AGUENTAR MUITO MAIS DISSO

O dia que trouxemos Judson do hospital para casa foi um desafio. Minhas filhas, na época com quase quatro e dois anos de idade, estavam ansiosas para passar um tempo comigo e seu irmãozinho enrugado e rechonchudo. Os avós das meninas e os nossos amigos tinham cuidado delas de forma excelente nos últimos dias. Contudo, as meninas haviam acabado de atingir o seu limite de tempo longe da mãe.

Transferi a roupa suja da minha bolsa do hospital para dentro do cesto e relaxei na minha cama com o meu recém-nascido nos braços. Mesmo que as meninas já tivessem passado um tempo com Judson no hospital, elas escalaram nossa cama alta como pequenas e poderosas cabras de montanha, só para estar perto dele. "Eu quero vê-lo, deixe-me vê-lo!"; "Não! Minha vez!"; "Mamãe, ela está me chutando. Faça-a parar!"; "E-e-eu!". Elas estavam fazendo aquela coisa sufocante que elas fazem tão bem. Membros estavam por todo o lugar e, de alguma forma, o bebê foi empurrado. E começou a chorar.

"Ah, o irmãozinho está chorando; venha cá, bebê". Minha filha mais velha colocou seus braços sob o corpo pequenino dele e começou a puxá-lo na direção dela. "Ah, não, querida, seja gentil; a mamãe já o pegou". Norah não tinha intenção de deixar Aliza ficar o tempo todo com o bebê no colo, então entrou no "cabo de guerra" também.

Tudo aconteceu tão rápido. Judson estava chorando, Aliza não soltaria e Norah, num momento de desespero, se inclinou e berrou no rosto do bebê: "Ah-h-h-h-h!". Por um segundo tudo ficou em silêncio. Então, os olhos do bebê se abriram e ele chorou como se seu coração houvesse se quebrado. Eu explodi: "Todo mundo! *Pra fora!*". Chocadas com o meu tom áspero, as meninas se desembaraçaram e saíram do meu colo e de cima da cama. Ficaram em silêncio ao meu lado. "Desculpe, mamãe", Aliza sussurrou. Norah, que não se deu muito a palavras no momento, apenas olhou para mim com um olhar penitente sob seus longos cílios, com lágrimas escorrendo pelo seu rosto.

"A mamãe sente muito, meninas. A mamãe sente muito, também". Eu conseguia sentir meu rosto esquentando e lágrimas turvando meus olhos. "A mamãe precisa de algum tempo sozinha, por alguns minutos. Brinquem em seu quarto, em silêncio, por favor". As meninas se retiraram do meu quarto e foram para o delas. Entre os gritos estridentes do meu filho recém-nascido, pela babá eletrônica ainda podia ouvi-las discutindo uma com a outra: "Minha-a-a-a-a! Minha boneca!"; "Eu estou brincando com ela agora, então é minha!". Uma atrás da outra, lágrimas correram por minhas bochechas. Como pude fazer isso? É o primeiro dia em casa — não, é a primeira *hora* — e eu não consigo nem lidar com isso. Que tipo de mãe sou eu, que grita com suas filhas, que só querem conhecer o novo irmão?

Níveis flutuantes de hormônios estavam em jogo depois de um emocionante nascimento. No meu trabalho voluntário como doula, frequentemente discuto essa fase inicial pós-parto e incentivo às mulheres para que não se surpreendam ao experimentarem mudanças de humor ao trazerem seus bebês para casa.

Eu sabia que, eventualmente, as coisas iriam se ajustar a uma nova normalidade, entretanto meu coração não queria acreditar nisso. O orgulho que não me permitiria estender a graça a mim mesma foi sintomático de um problema mais profundo.

UM PROBLEMA MAIS PROFUNDO

Passaram-se quatro meses. Os amiguinhos de Judson que nasceram por volta da mesma época estavam todos dormindo a noite inteira. Uma por uma, suas mães anunciaram para o mundo, "Uau, meu bebê dormiu por dez horas seguidas! Eu me sinto uma nova mulher!". Mas o sono noturno ainda nos evitava. Meu filho estava perfeitamente saudável, todavia ele não estava disposto a dormir por duas ou três horas sem se alimentar. Consegui passar as noites em determinada gratidão, grata por ter um bebê doce para cuidar.

Então Judson começou a ter cólicas na primeira noite em que meu marido havia partido em uma viagem à trabalho. O bebê se alimentou, chorou, regurgitou, chorou, cochilou durante uma hora e, por fim, repetiu tudo de novo. Tentei freneticamente todos os truques de livros — remédio para gases, massagens na barriguinha, toalhas mornas, qualquer coisa que conseguisse pensar no meio da madrugada.

Depois de um curto sono, às 5 horas da manhã, ouvi o bebê murmurando em seu berço. Em segundos ele iria acordar e começar a chorar. E o fez. Então o alimentei, o fiz arrotar, e ele começou a cochilar de volta ao sono. Que sorte! Sem ter de balançar ou silenciar desta vez! Eu o deitei.

Nesse momento, Judson soltou um choro agudo. Cólica. Estava se contorcendo sob o cobertor que o envolvia, sua testa franziu-se em frustração. Novamente saí da cama para o que parecia ser a milésima vez naquela noite. Debrucei-me sobre seu berço, o levantei para fora e segurei seu corpo tenso por cima do meu ombro, tentando fazê-lo arrotar. Ele arrotou, e pude sentir o vômito morno e úmido escorrer pelas minhas costas e o ouvi caindo no chão.

"Você está *brincando*!". Eu não sei a quem meu desabafo se destinou. Parecia que era a coisa certa a se dizer naquele momento. Meu doce bebê apenas continuou chorando. Chorei também. E orei a única oração que podia: "Deus, me ajude!".

Então vi a luz do sol espreitando sob as cortinas. Estava quase na hora de acordar. Meu despertador iria tocar em minutos e as meninas pulariam da cama, prontas para festejar. Pensamentos de mais uma manhã agitada e um dia movimentado, sem uma pausa, me atingiram e chorei lágrimas amargas. Onde está Deus? Como Deus poderia fazer isso comigo? Como ele espera que eu enfrente este dia?

Conforme o sol ficava mais e mais brilhante e eu sentia outra onda de fadiga sobre mim, tomei uma decisão. Resolvi organizar melhor minhas circunstâncias para aliviar um pouco a pressão. Colocaria as crianças em uma melhor programação de cochilos, definiria uma rotina de limpeza e colocaria minhas disciplinas espirituais em ordem. Talvez, então, quando minha casa estivesse em melhor ordem, eu poderia vir a me sentir mais perto de Deus mais uma vez. No entanto, algo dentro de mim disse que controlar minhas circunstâncias não iria preencher o vazio na minha alma. Você não pode organizar seu caminho para a comunhão com Deus.

EU REALMENTE NÃO AGUENTO MAIS ISSO

Minha história lhe soa familiar de algum modo? É possível que você se sinta sufocada pela sua própria vida. Talvez você não tenha noites sem dormir ou um bebê com gases que precisa de cuidados, entretanto, suas circunstâncias ditem como você se sente e como você se relaciona com Deus. Você está presa em um ciclo interminável e não consegue ver alguma saída. Você já orou sobre isso e lamenta profundamente o fato de não corresponder ao padrão da santidade de Deus em meio às suas circunstâncias.

Você se esforça durante o dia e ora para que as noites passem rápido. Falta-lhe gratidão a Deus pelos dons que ele lhe deu; por causa da culpa sobre seus fracassos, evita refletir sobre o seu dia. Você fantasia sobre como outras mulheres vivem; suas orações não têm ligação emocional com o Pai celestial e você se sente perdida.

Você está certa. *Não pode* mais fazer isso e nem eu.

Ansiar por uma conexão com Deus, mas se sentir presa ao cotidiano é a história da minha vida também. Todavia estou aqui para lhe dizer que há esperança para você mudar, e Deus quer te encontrar lá. Bem ali. Com vômito escorrendo em suas costas e marcas de lágrimas salgadas e amargas em seu rosto. Ele te ama, está com você e lhe oferece o seu próprio dom para o desfrutar para sempre.

Seja qual for o "isso" que você sente, em desespero, que não poder mais fazer, não se trata, por fim, de suas circunstâncias. É sobre paz com Deus. E Deus proveu um modo para você obter essa paz que domina toda e qualquer circunstância, independentemente de quão difíceis elas sejam.

O DESESPERO EM NOSSAS CIRCUNSTÂNCIAS

Mas esta paz é tão fugaz, não é? Isso porque tipicamente tentamos lidar com esse problema de duas maneiras diferentes. Vou falar de minhas próprias experiências, e talvez você se identifique com uma (ou ambas) de minhas táticas.

Uma maneira de lidar com minha falta de paz e alegria é simplesmente esquecê-las. Apenas esquecer-se soa assim: "Que bobagem da minha parte pensar que poderia ter paz e alegria durante este período da minha vida. Outras mulheres que conheço estão lutando com a mesma falta de paz e alegria. É apenas uma fase, então não deveria deixar que isso me incomode tanto. Eu não preciso ficar frustrada".

Outra maneira de lidar com minha falta de paz e alegria é trabalhar mais. Esta é a tática que escolho, normalmente. Eu sei que consigo "viver" melhor se simplesmente colocar minha mente nisso. Crio gráficos para me organizar; programo tudo, desde cochilos a refeições e tarefas. Controlo as variáveis. Procuro uma solução melhor — lendo livros e blogs — e peço opiniões de mulheres cujos estilos de vida eu admiro. Passo a tomar mais café e a ter hábitos alimentares mais saudáveis. Desse modo, uma após a outra, tais coisas começam a me escravizar. Tornam-se fardos. Sempre haverá um modo melhor de organizar seu lar, uma rotina mais ideal para seu bebê, uma coisa que você quer, mas não tem, e sentirá como se nunca pudesse tomar café o suficiente. Se você nunca tentou isso antes, terá que confiar em mim.

Acalmar-se, folgar seus padrões e deixar as crianças pularem um banho de vez em quando pode ajudar num nível prático. Cronogramas, gráficos e uma dieta saudável também podem ajudar. Contudo, se você está dependendo dessas coisas para corrigir sua vida, então está apenas colocando *Band-Aids* em um ferimento à bala.

O fato é que nenhuma de nós realmente ignora a dor em nossas almas. Todas tentamos preenchê-la com alguma coisa. E se você é uma cristã ou alguém que aprecia a sabedoria da Bíblia, é possível que tente aliviar a dor com uma receita bíblica: mais tempo em oração. Mais leitura da Bíblia. Mais disciplina. Todas estas coisas são boas.

Os fariseus pensavam assim também. E o que me assusta é que *isso se parece tanto comigo*. Assim como eles, acho que posso manipular a Deus para que fique em débito comigo se eu seguir todas as regras e me envolver em práticas espirituais rigorosas.

O que faz a diferença entre tal atitude e engajar-se em disciplinas espirituais para ficar mais perto de Deus é a graça. A hipocrisia vem de dentro de nós, nos levando a adorar a nós mesmos. A graça vem de Deus e nos leva a adorá-lo. Ambos os cenários são preocupantes. Ambos negligenciando o que Deus me chamou para fazer; e fazê-lo em meu próprio poder são rejeições da graça oferecida a mim através de Jesus. Se quero viver pela graça mediante a fé, não está em questão se devo parar essas práticas pecaminosas.

As perguntas que eu deveria fazer são estas: *Como* é que crer em Jesus muda a maneira como enfrento a monótona labuta diária? Ou como é que crer aceita como normal ter um cochilo interrompido? *Como* a fé em Deus me resgata de um coração inquieto? *Como* posso experimentar a paz de Cristo, quando sou tão propensa ao fracasso por causa do meu pecado? *Como* o evangelho faz de mim uma mulher que repousa na paz de Deus em meio ao caos em meu coração?

A GRAÇA NA QUAL PERMANECEMOS

Quando você não consegue enxergar um modo de continuar, ou nota que se tornou obcecada ou oprimida por suas circunstâncias, agarre-se a Jesus.

Jesus sabia do seu chamado e confiava naquele que o tinha lhe dado. Jesus nunca se vendeu quando tentado a ser envolvido em alguma outra coisa que não era seu trabalho. Jesus suportou fielmente até o fim, apesar das circunstâncias mais difíceis. E ele morreu por você. Você pode confiar nele.

Sua vida perfeita e sua morte sacrificial são mais do que meros exemplos para seguirmos. Ele é a nossa justiça. Sua morte nos traz paz com Deus. E sua ressurreição nos garante vida.

Acreditemos que o evangelho nos dá coragem para nos arrepender destas atitudes quando as sentimos rastejando em nossas almas: (1) O desespero da mentalidade de mártir; e (2) O orgulho que cresce do nosso sucesso ao controlar nossos ambientes.

Através da graça de Deus, uma dinâmica completamente diferente opera quando olhamos para Jesus em busca de força e esperança. Esta é a fé que atua pelo amor (Gálatas 5.5-6). Deus, em sua graça, pode nos transformar naquelas que são firmes, inabaláveis e sempre abundantes em sua obra, sabendo que nele, nosso trabalho não é em vão (1 Coríntios 15.58).

AQUELE QUE LEVANTOU SEUS BRAÇOS E AQUELES QUE LEVANTAM NOSSOS BRAÇOS

A história em Êxodo 17.8-13 é muito preciosa para nossa família. Nós a lembramos com frequência. Creio eu, particularmente, por causa das nossas situações únicas com a doença de nervo debilitante que meu marido possui nos braços.

Nessa passagem, os filhos de Israel batalhavam com seus

inimigos, os amalequitas. Moisés disse a Josué, o capitão do exército, para escolher alguns homens para sair e lutar contra o exército dos amalequitas. Nesse meio tempo, ele ficaria no topo de uma colina nas proximidades, com o cajado de Deus em sua mão. Então Josué e seus homens lutaram com os amalequitas enquanto Moisés, seu irmão Arão, e um homem fiel chamado Hur, subiram ao topo da colina. Os três homens observaram a batalha do topo da colina e sempre que Moisés levantava a mão, o exército de Josué prevalecia. Moisés, porém, se cansou. Quando abaixou as mãos, o lado dos amalequitas começou a ganhar. Logo trouxeram uma pedra para Moisés se sentar, e Arão e Hur sustentaram os braços de Moisés pelo resto do dia. E o povo de Deus foi vitorioso sobre os seus inimigos.

Assim como Moisés, nós nos cansamos. Enquanto escrevo isso, sinto a parte inferior das minhas costas meio dolorida e posso sentir uma pressão indesejável se acumulando nos seios da minha face novamente, pela terceira vez neste inverno. Por causa da doença de nervo nos braços, meu marido tem uma dor crônica e necessita de ajuda física com as coisas que precisa fazer com seus braços. Como resultado, somos mais conscientes de como foi estratégico o Senhor Deus nos criar com dois braços! Nessa consciência, eu oro todos os dias para que Deus forneça os braços de que precisamos, para fazer o que quer que ele nos tenha chamado a fazer. Posso testemunhar que Deus provê — provê mesmo! Neste fim de semana mesmo, tive dificuldade em contar o número de braços que se estenderam para nos ajudar. Um homem amável carregou o carrinho do meu bebê por um lance de escadas em um lugar onde não havia rampas. Uma doce universitária veio para me ajudar com o ensino doméstico. Glória a Deus pelos "Arões" e "Hures" entre nós, que estão prontos para servir.

Independentemente do quão forte você se sinta agora, todas nós precisamos de um Arão e de um Hur para segurar nossos braços quando estamos cansadas. Precisamos de Arões e Hures ao nosso redor para nos lembrar de como o Filho do homem subiu ao topo de uma colina e segurou seus próprios braços estendidos sobre a cruz para a nossa salvação. Jesus ficou naquela cruz até beber a última gota do cálice da ira de Deus contra o nosso pecado. Jesus foi vitorioso sobre o pecado e, agora, nos entrega sua vitória. Pela fé, nos dá a sua justiça, e pela fé ele é aquele que levanta nossas mãos caídas a fim de fazer boas obras para a sua glória. Hebreus 12.12-14 diz algumas coisas sobre como podemos perseverar pela glória de Deus em um mundo dominado pelo pecado:

> Por isso, restabelecei as mãos descaídas e os joelhos trôpegos; fazei caminhos retos para os pés, para que não se extravie o que é manco; antes, seja curado. Segui a paz com todos e a santificação, sem a qual ninguém verá o Senhor.

Existe algo que Deus a chamou a fazer? Ele pode lhe prover, com o que você precisar, com o intuito de levantar suas mãos caídas para que possa realizar seu chamado! Há algum lugar em que você precise fortalecer seus joelhos fracos e prosseguir, pelo amor de Jesus? Deus é capaz de sustentá-la enquanto você caminha.

Você precisa se desviar do caminho em que estava para poder caminhar em santidade? Deus é misericordioso e pronto a perdoar.

O texto diz que é preciso lutar pela paz e santidade. A paz entre você e aquele amigo distante que você tem evitado não vai simplesmente acontecer de forma espontânea. Você deve correr atrás dela. O fruto do Espírito Santo não vai brotar dentro de você se as sementes do evangelho que foram semeadas não forem regadas. Sem dúvidas, Deus provoca o crescimento, mas você deve cultivar um bom solo que esteja pronto para receber sua Palavra. Pela graça de Deus, faça o que você precisa fazer para ler a Palavra de Deus e para ir ao Pai celestial em oração. Retire as ervas daninhas do seu coração, mesmo que as raízes estejam presas e pareça que não irão ceder. Quando outra erva daninha crescer em outro lugar, não desista. Encontre um Arão e um Hur para ajudá-la. Cerque-se de amigas que irão encorajá-la a olhar para Cristo, que lhe dará a vitória nas batalhas sobre o pecado dentro de você.

Queremos estar entre aqueles que "veem o Senhor"! Todo o esforço que fazemos para buscar a santidade deve fluir da dependência na graça de Deus. É a graça de Deus mostrada a nós na cruz que garante graça para o nosso futuro. Ele provê!

OLHE PARA TRÁS, OLHE ADIANTE

Considere o que Romanos 5.1-5 diz sobre como a nossa fé olha para trás, para a cruz, e adiante, para a eternidade, e o hoje é motivo de regozijo:

> Justificados, pois, mediante a fé, temos paz com Deus por meio de nosso Senhor Jesus Cristo; por intermédio de quem obtivemos igualmente acesso, pela fé, a esta graça na qual estamos firmes; e gloriamo-nos na esperança da glória de Deus. E não somente isto, mas também nos gloriamos nas próprias tribulações, sabendo que a tribulação produz perseverança; e a perseverança, experiência; e a experiência, esperança. Ora, a esperança não confunde, porque o amor de Deus é derramado em nosso coração pelo Espírito Santo, que nos foi outorgado.
> (Romanos 5.1-5)

Por causa da morte sacrificial de Cristo na cruz, somos justificadas e hoje temos paz com Deus. Permanecemos na graça — essa é nossa circunstância permanente e inalterável. Nós nos regozijamos na esperança da glória futura — que é outra circunstância permanente e inalterável. Hoje permanecemos na graça e nos regozijamos em esperança.

O evangelho torna as provas que vivencio em boas-novas, porque o Espírito Santo que habita em mim as usa para produzir seus frutos de perseverança fiel, caráter divino e esperança corajosa.

A prosa de Milton Vincent sobre esse tema serviu imensamente minha alma. O incentivo veio no meio da provação mais difícil que meu casamento havia enfrentado. Tínhamos acabado de nos mudar para o Oriente Médio e, em meio ao choque cultural e à aprendizagem da língua, a dor física do meu marido estava em seu ponto mais alto. Dia após dia parecia que nossas circunstâncias ficavam cada vez piores. Naquele ritmo, estávamos certos de que, em breve, seríamos destruídos, tanto espiritual como emocionalmente. Nenhum dos planos que fizemos estava funcionando; em poucas semanas, não tínhamos certeza de onde iríamos morar; estava grávida de "três anos" do nosso segundo filho (na verdade, estava com nove meses de gravidez, mas naquele ponto pareciam três anos); e o desafio de implantar igrejas era muito mais difícil do que jamais havíamos imaginado. Além de tudo isso, a dor crônica do meu marido estava de volta, pior do que nunca, e o estresse cultural da vida diária estava perto de ser enlouquecedor. Sentíamo-nos sem esperança. Em algumas ocasiões, me lembro de tentar tirar nossas malas vazias para fora do armário, no caso de precisarmos começar a fazê-las para ir embora. Lutamos com a ideia de que nossas circunstâncias terrenas desanimadoras eram o fim da linha para nós.

Felizmente, alguns amigos nossos nos emprestaram sua cópia do livro de Vincent e este parágrafo mudou como víamos tudo:

> O evangelho é a única grande circunstância permanente em que vivemos e nos movemos; e todas as dificuldades em minha vida são permitidas por Deus só porque elas servem aos propósitos do seu evangelho em mim. Quando vejo as minhas circunstâncias sob essa luz, percebo que o evangelho não é apenas um pedaço de boa-nova que se encaixa em minha vida, em algum lugar entre todas as coisas ruins. Eu percebo, ao contrário, que o evangelho faz, genuinamente, boa-nova a partir de todos os outros aspectos da minha vida, incluindo as minhas

provações mais severas. A boa notícia acerca das minhas provações é que Deus as está forçando a se curvarem ante os propósitos de seu evangelho, fazendo o bem em mim e melhorando meu caráter, me tornando mais parecido com Cristo.[1]

Isto não é somente o seu vazio de otimismo "o copo está meio cheio, então aproveite o que você tem". Esta é uma declaração de dependência em Cristo em todas as coisas para a sua glória. Acreditar nas boas intenções de Deus para conosco nos tornando maiores, como seu Filho, fez toda a diferença. Isso mudou a forma como reagíamos quando o caminhão de água falhava em entregar água para a nossa casa pelo quarto dia consecutivo. Mudou a forma como falava com meu marido quando eu pensava que não podia suportar ouvi-lo dizer, mais uma vez, como sua dor era pungente. Mudou os meus pensamentos ansiosos sobre a nossa situação de vida e transformou-os em uma oportunidade de ver a mão de Deus agindo em minha vida.

OLHANDO PARA JESUS, CORRA!

Valorizar Jesus nos muda. A fé olha para a cruz e concorda com Jesus, que disse: "Está consumado". A minha dívida foi paga e o meu pecado é perdoado porque Jesus pagou por tudo. Estou reconciliada com Deus pela morte de seu Filho. A fé também anseia pelo futuro e confia em tudo o que Cristo fará por nós. Agora que estamos reconciliadas, quanto mais seremos salvas pela sua vida (Romanos 5.10).

Quando vemos e sentimos Jesus como nosso tesouro supremo e estamos confiantes nas promessas que ele comprou para nós com seu sangue, a nossa fé *funciona*. Esta fé no que Cristo fez na cruz e a fé no que Cristo fará por mim no futuro produzem uma Gloria diferente *hoje* (e uma diferente Hyun Joo, Kasey, Nastaran, Laurie, Amal, Samantha, Priya, Michelle, Bronwyn, Sarah, *e você!*).

Viver na realidade deste evangelho me motiva a perseverar como Jesus fez — com alegria resoluta.

> Portanto, também nós, uma vez que estamos rodeados por tão grande nuvem de testemunhas, livremo-nos de tudo o que nos atrapalha e do pecado que nos envolve, e corramos com perseverança a corrida que nos é proposta, tendo os olhos fitos em Jesus, autor e consumador da nossa fé. Ele, pela alegria que lhe fora proposta, suportou a cruz, desprezando a vergonha, e assentou-se à direita do trono de Deus. Pensem bem naquele que suportou tal oposição dos pecadores contra si mesmo, para que vocês não se cansem nem se desanimem. (Hebreus 12.1-3)

Então, aqui estou e são cinco da manhã novamente. O sol está nascendo através das pequenas aberturas entre as cortinas, e estou tão exausta que mal consigo pensar direito. Eu estou pronta para olhar para Jesus e considerar o que ele tem feito e vai fazer quando eu ficar cansada ou me acovardar. E não importa o tempo e onde você está, ele pode encontrá-la lá também.

Que milagre o fato de que Deus tomaria pecadoras, tais como nós, e nos daria um novo coração com disposição para amá-lo e confiar nele em meio às nossas circunstâncias. A piedade egocêntrica é conquistada. Fidelidade é produzida. Esta é a obra sobrenatural de um Deus amoroso ao nos encontrar na lavanderia, na fila do supermercado, ou onde quer que estejamos. Louve a Deus pela benignidade que ele mostrou através de Jesus.

> Engrandecei o Senhor comigo,
> e todos, à uma, lhe exaltemos o nome.
> Busquei o Senhor, e ele me acolheu;
> livrou-me de todos os meus temores.
> Contemplai-o e sereis iluminados,
> e o vosso rosto jamais sofrerá vexame.
> Clamou este aflito, e o Senhor o ouviu
> e o livrou de todas as suas tribulações.
> O anjo do Senhor acampa-se
> ao redor dos que o temem e os livra.
> Oh! Provai e vede que o Senhor é bom;
> bem-aventurado o homem que nele se refugia.
> (Salmos 34.3-8)

Capítulo 6

O PÃO DA VIDA
E ROSCAS PARA O
CAFÉ DA MANHÃ

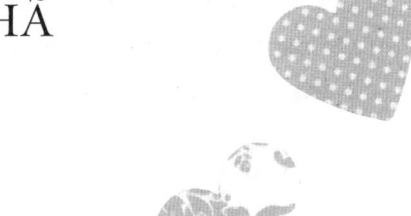

Espanto-me com o quanto penso sobre com comida. Meu dia é organizado em torno da comida. Meu orçamento é ajustado para acomodar a alimentação. Termino o café da manhã e começo a pensar sobre o que vou dar para meus filhos comerem no almoço. Tenho desejos por comida. Vejo a comida que outras pessoas estão comendo e tenho opiniões sobre ela. Planejo conversas em torno de comida compartilhada.

Comida é algo tão pessoal. Deus criou nossos corpos tanto para necessitar dos alimentos quanto para apreciá-los. A comida é tanto uma necessidade para sustentar a vida quanto um prazer.

Em nossa família, todos temos manias e preferências sobre os alimentos que gostamos e não gostamos. Meu marido se recusa a comer ovos e peixes. As meninas imploram por *cupcakes* e sorvetes. Eu sou uma consumidora bastante exigente também. A única exceção para as manias alimentares de nossa família é nosso filho, cujo apelido nas refeições é *Maaz* (o termo árabe para bode).

A Bíblia ensina que os alimentos não são somente uma fonte de calorias ou de satisfação momentânea. Deus fez da comida uma parte integrante da nossa vida cotidiana, para que pudéssemos ter uma ideia do que Jesus quis dizer quando falou: "Eu sou o pão da vida".

PÃO DO CÉU

Deus alimentou os israelitas com maná quando eles vagaram pelo deserto. Maná era o que eles diariamente chamavam de pão que veio do céu. A palavra *manna* significa "o que é isso?". Estava brincando com meu marido sobre como ouço essa pergunta durante as refeições com frequência. No entanto não é porque as coisas que crio no fogão são miraculosas!

Quando os israelitas acordavam pela manhã, o maná era como o orvalho sobre a terra, e eles o recolhiam e preparavam para o dia. Se recolhessem mais do que o necessário, apodreceria. Deus os estava ensinando a confiar nele para obter o pão de cada dia.

Em João 6, Jesus está falando com uma multidão que se reuniu conforme eles o procuravam. Jesus tinha acabado de alimentar uma multidão de milhares de pessoas com apenas alguns pães e peixes. As pessoas queriam outro milagre. Elas queriam ser alimentadas. Jesus disse a eles: "Em verdade, em verdade vos digo: vós me procurais, não porque vistes sinais, mas porque comestes dos pães e vos fartastes" (João 6.26).

Entretanto, a multidão não sabia que Jesus tinha mais para eles do que o pão que apenas saciaria sua fome por algumas horas. "Trabalhai, não pela comida que perece, mas pela que subsiste para a vida eterna, a qual o Filho do Homem vos dará; porque Deus, o Pai, o confirmou com o seu selo" (João 6.27).

"O que devemos fazer para realizar as obras de Deus?", a multidão perguntou a Jesus. Jesus respondeu a eles, "A obra de Deus é esta: que creiais naquele que por ele foi enviado" (João 6.28-29). Nesse momento, a multidão fez outra pergunta, bastante atrevida: "Deus nos deu maná para comer, então o que *você* nos dará?". Assim Jesus diz a eles:

> Em verdade, em verdade vos digo: não foi Moisés quem vos deu o pão do céu; o verdadeiro pão do céu é meu Pai quem vos dá. Porque o pão de Deus é o que desce do céu e dá vida ao mundo... Eu sou o pão da vida; o que vem a mim jamais terá fome; e o que crê em mim jamais terá sede... Em verdade, em verdade vos digo: quem crê em mim tem a vida eterna. Eu sou o pão da vida. Vossos pais comeram o maná no deserto e morreram. Este é o pão que desce do céu, para que todo o que dele comer não pereça. Eu sou o pão vivo que desceu do céu; se alguém dele comer, viverá eternamente; e o pão que eu darei pela vida do mundo é a minha carne.
>
> (João 6.32-33, 35, 47-51)

Jesus disse que o maná no deserto apontava para ele. O maná veio do céu; Jesus veio do céu. O Pai enviou o maná; o Pai enviou Jesus.

O maná deu vida aos israelitas; Jesus deu vida ao mundo. O maná deu vida por um tempo; Jesus é o pão vivo que dá vida eterna por meio do sacrifício de seu próprio corpo na cruz.

Jesus está dizendo que o custo do pão no reino de Deus é estar faminto por ele. Ele nos deu o seu corpo para que possamos trabalhar pelo que nos satisfaz eternamente. O trabalho de Deus, Jesus diz, é "que creiais naquele que por ele foi enviado" (João 6.29). Esta passagem ecoa a profecia de Isaías:

> Ah! Todos vós, os que tendes sede,
>
> vinde às águas;
>
> e vós, os que não tendes dinheiro,
>
> vinde, comprai e comei;
>
> sim, vinde e comprai, sem dinheiro e sem preço,
>
> vinho e leite.
>
> Por que gastais o dinheiro naquilo que não é pão,
>
> e o vosso suor, naquilo que não satisfaz?
>
> Ouvi-me atentamente, comei o que é bom
>
> e vos deleitareis com finos manjares.
>
> Inclinai os ouvidos e vinde a mim;
>
> ouvi, e a vossa alma viverá;
>
> porque convosco farei uma aliança perpétua,
>
> que consiste nas fiéis misericórdias prometidas a Davi.
>
> (Isaías 55.1-3)

Essa é uma grande verdade para se meditar na próxima vez que você ouvir seu estômago roncando por alimento. Antes de ir para a cozinha, pare por um momento para lembrar como o pão da vida veio do céu e deu sua vida para que os pecadores pudessem se reconciliar com Deus e se satisfizessem nele para sempre.

LIVRE DO PECADO RELACIONADO À COMIDA

Deus criou o alimento para seus propósitos, mas a comida pode ser uma fonte de muita ansiedade e conflito. Algumas pessoas lutam com a diminuição de seus suprimentos alimentares, enquanto outros têm discussões acaloradas sobre qual cobertura deveria decorar seu bolo de casamento. Ainda outro dia, testemunhei um desentendimento entre um garçom e uma cliente sobre o café que foi servido a ela, se era um *cappuccino* ou um *latte*.

Ficamos muito agitadas em relação a quais refeições fazer para as nossas famílias e convidados, sobre o aumento dos preços dos alimentos que compramos, quanto aos pratos que imaginamos e não conseguimos criar, e sobre o *feedback* que recebemos sobre a comida que servimos.

"O que tem para o jantar?", "O que tem nisso?", "Não tem mais?", "Quantas calorias têm nisso?", "Quanto custou?"; essas simples perguntas relacionadas à comida têm o poder de provocar tantas emoções em nós. Muitas vezes, a emoção predominante é a ansiedade. Se não for controlada, a ansiedade dá lugar à incredulidade e a uma série de outros problemas que sangram em outras áreas de nossa vida. Como donas de casa, somos tentadas a nos dedicar a construir nossa identidade sobre o que colocamos na mesa de jantar. Somos tentadas a nos aprazer em agradar pessoas. Somos tentadas a nos comparar às outras. Somos tentadas a alimentar nossas arrogâncias em relação ao nosso gosto para comida. Tudo isso por *comida*!

Como é fácil ficar obcecada pela comida e perder a razão da alimentação. O propósito de planejar refeições, fazer compras, cozinhar e servir alimentos é fazer com que seu estômago espiritual ronque pela superioridade de Deus em todas as coisas. Deus é infinitamente superior à comida que criou para sustentar os corpos que nos deu, com o objetivo de que o glorifiquemos em todas as coisas.

Deus nos deu seu Filho e, quando nele cremos, podemos ser libertos do pecado que tão frequentemente nos estrangula. Jesus, por meio do evangelho, nos liberta. Podemos ser livres de julgar os demais, nos baseando no que são capazes de criar na cozinha. Podemos nos livrar de criticá-los, nos baseando naquilo com que alimentam seus familiares. Podemos nos libertar de comparar nós mesmas com os modelos perfeitos de culinária. Podemos nos livrar de comermos o pão da ansiedade de um trabalho árduo. Podemos nos libertar de sermos inseguras a respeito daquilo que não somos capazes de criar na cozinha. Podemos nos tornar livres para nos desfazer daquilo que temos porque, em Cristo, temos melhores posses. Quando vivemos na realidade de nossa identidade em Cristo, descobrimos que somos livres.

UMA LISTA BEM ESCASSA DE COISAS COM QUE NOS PREOCUPAR

Comida é uma das coisas com as quais gostamos de nos preocupar. É interessante como, em Mateus 6.25, Jesus faz uma lista de coisas com as quais não deveríamos ficar ansiosas, na qual ele inclui a alimentação:

> Por isso, vos digo: não andeis ansiosos pela vossa vida, quanto ao que haveis de comer ou beber; nem pelo vosso corpo, quanto ao que haveis de vestir. Não é a vida mais do que o alimento, e o corpo, mais do que as vestes?

Dificilmente se pode pensar numa lista mais compreensiva de preocupações em potencial: vida, comida, bebida, corpo e roupas.

Jesus, de maneira sábia, compreende que pessoas preocupadas gostam de comparar a si mesmas com as outras, e nos dá, portanto, uma cartilha de comparação. Nos próximos versos, ele coloca nossa ansiedade sob uma perspectiva mais explícita, quando nos compara a aves, lírios e grama:

> Observai as aves do céu: não semeiam, não colhem, nem ajuntam em celeiros; contudo, vosso Pai celeste as sustenta. Porventura, não valeis vós muito mais do que as aves? Qual de vós, por ansioso que esteja, pode acrescentar um côvado ao curso da sua vida? E por que andais ansiosos quanto ao vestuário? Considerai como crescem os lírios do campo: eles não trabalham, nem fiam. Eu, contudo, vos afirmo que nem Salomão, em toda a sua glória, se vestiu como qualquer deles. Ora, se Deus veste assim a erva do campo, que hoje existe e amanhã é lançada no forno, quanto mais a vós outros, homens de pequena fé?
> (Mateus 6.26-30)

Deus não está alheio à nossa propensão a preocuparmo-nos com coisas temporárias, perseguindo-as. Deus não se esqueceu de quão difícil é para nós crermos que ele é nosso tesouro de satisfação total, de que Jesus é nosso pão da vida. Deus nos ama, ele tem graça imensurável para conosco por causa de Cristo (Efésios 4.7) e está pronto para carregar nosso fardo, porque se importa conosco. "Humilhai-vos, portanto, sob a poderosa mão de Deus, para que ele, em tempo oportuno, vos exalte, lançando sobre ele toda a vossa ansiedade, porque ele tem cuidado de vós" (1 Pedro 5.6-7).

ANSIEDADE E FUTILIDADE SÃO COMO SE FOSSEM PRIMAS

Entendo que é muito fácil se sentir fútil quando consideramos a magnitude das preocupações que estão em nossa mente. O fardo de circunstâncias complicadas pode fazer com que nos sintamos paralisadas e, naturalmente, queremos uma saída.

Eu sei que é mais fácil se contentar com a chupeta ao invés da paz de Cristo, que excede todo o entendimento. É como o truque dos *nachos* em restaurantes mexicanos. Eles trazem a você uma cesta gigante e sem fundo de *tortillas,* enquanto você consulta o cardápio. Você faz a sua escolha, a informa ao garçom e se enche de *nachos* enquanto espera por sua refeição. Você faz pazes temporárias com seu estômago à custa de uma boa refeição, que não poderá aproveitar por completo porque sua barriga dói por comer tantos *nachos.*

Minhas crianças suplicam por coisas como essa toda vez que as refeições não chegam rápido o suficiente para eles. Eles imploram por cereais com leite quando há um frango assando no forno. Elas precisam ser pacientes e esperar.

Temos um problema em permitir que Deus proveja para nós. Temos um problema com isso nas mais variadas áreas da vida — preferimos salvarmos a nós mesmos do pecado. E temos um problema em permitir que Deus proveja nosso pão diário nos mínimos detalhes de nossa vida. Falhamos em permitir que Deus proveja por nós, porque pensamos saber melhor do que ele aquilo de que necessitamos. Então vamos e tomamos a dianteira. Faço isso a cada vez que não confio nele de forma consciente; e confio em mim mesma.

Eu preciso de esperança. A sensação de frio na barriga que vem com o sentimento "oh não! Estraguei tudo!" me é bastante familiar. Todavia, Deus é maior, mais poderoso e tem mais mistérios do que jamais poderemos imaginar; e levará uma eternidade para que ele revele a nós sua magnificência.

Sentirmo-nos fúteis acerca de nossa incapacidade de confiar em Deus quando estamos ansiosas não deveria ser uma fonte de desespero. Isso é uma oportunidade de adoração. Quão grande é o Senhor e tão desejável e digno de nossa adoração que nossos corações devem sentir-se vazios quando não estamos repletas de sua alegria! Quão misericordioso é Jesus, que nos deu sua justiça e leva embora nossos pecados! Se você tem alguma angústia, se você vivencia alguma relutância acerca da dureza de seu coração, não seja desencorajada. Você não se sentiria desta forma se o Espírito de Deus não estivesse trabalhando em sua vida. Se você fosse entregue a seus próprios rudimentos, então não haveria necessidade de ter a vontade de se arrepender por estar perdendo a contemplação de Deus.

Ter o desejo de se arrepender por possuir cada vez menos apetite por Deus é uma graça para você. Pessoas que não querem a Deus verdadeiramente, *não* querem a Deus. Richard Sibbes explicou isso em *The Tender Heart*:

> No entanto o filho de Deus não possui uma dureza total e final de coração, mas uma sensibilidade acerca disso, ele sente e contempla. Dureza total não se pode sentir, porém um cristão que possui dureza de coração sente que a possui; como um homem que tem pedra no rim sente e sabe que a possui. Um homem de coração endurecido não sente nada, mas aquele que tem nada senão a dureza de coração, de fato, sente: pois há uma diferença entre dureza de coração e coração endurecido; pois os filhos de Deus talvez tenham *dureza de coração*, mas não um *coração endurecido*.[1]

Por isso, não fique ansiosa quando você sentir um grande apetite de Deus. Ele certamente vai lhe dar mais de si mesmo quando o desejo do seu coração está para ele. "Agrada-te do Senhor, e ele satisfará os desejos do teu coração" (Salmos 37.4).

A ORAÇÃO DO SENHOR CANTADA EM UMA FONTE

Numa noite fria do deserto, meu marido e eu estávamos em um encontro num *shopping center*. Havia fontes musicais nesse *shopping*. Essas fontes estavam sincronizadas para tocar de acordo com uma seleção de músicas. Toda noite, começando às sete horas, essas músicas tocariam em alto-falantes ao redor da fonte e o show de água aconteceria, aproximadamente, a cada meia hora. Somente algumas canções selecionadas estavam na programação. Havia músicas de diferentes gêneros musicais: uma canção árabe, uma famosa música de *Bollywood*, uma ou duas canções da Celine Dion e algumas músicas escolhidas de uma ópera.

Nessa noite em particular, havia uma música que eu nunca tinha ouvido antes, mas soava vagamente familiar. A melodia, que era muito bela, ecoou pelos alto-falantes — a letra era em suaíli. Reconheci a frase "*Baba yetu*" e algumas outras palavras em suaíli por causa do breve tempo que havíamos passado no Quênia. Esta canção era a "Oração do Senhor", cantada por um coro suaíli. As fontes dançavam conforme o coro cantava as glórias de nosso Pai Deus, que fornece tudo que precisamos para a vida e a piedade por intermédio de seu Filho Jesus Cristo.

Um arrepio percorreu minha espinha. Eu não podia acreditar no que estava ouvindo e no lugar onde estava ouvindo tal coisa. Estas eram as palavras ditas por Jesus há tanto tempo, que foram proclamadas de gerações a gerações de pessoas que escutariam com seus ouvidos e veriam com seus corações que Jesus é a resposta suprema para essa mesma oração.

Deus, nosso Pai, é santo, santo, santo, e digno de nossa adoração. Mas não podemos santificar o seu nome, porque somos pecaminosas. Jesus fez a vontade do Pai perfeitamente em sua vida e em sua morte. Jesus é o nosso pão de cada dia, como ele mesmo se declarou o pão da vida. Por meio de Jesus, somos perdoadas e, por meio de

Jesus, podemos perdoar os que pecam contra nós. Ele foi levado à tentação, mas venceu o pecado. Quando somos tentadas a pecar, Jesus nos dá a força para escolher, em vez disso, a alegria e a vida nele. Jesus nos conduz à justiça e à vida eterna — não à tentação. Jesus nos livra do mal e engolirá, finalmente, o mal para sempre.

Jesus é a resposta suprema para a Oração do Senhor.

Meu coração queria explodir ali mesmo quando me inclinei sobre a grade de ferro em torno daquela fonte. Eu me senti como se estivesse chorando e dançando ao mesmo tempo. Como poderia tamanha verdade magnificente ser confiada a pessoas como nós, para ser negligenciada, esquecida e rejeitada? Como poderia o Deus que habita em nós com seu Espírito Santo ser tão paciente? Como ele poderia desejar que não perecêssemos? Quão grande é nosso Deus, que nos dá uma esperança que não nos falhará ou nos envergonhará conforme derrama seu amor em nossos corações através do Espírito Santo *que nos foi outorgado* (Romanos 5.5)?

Olhei sobre meus ombros para aquela multidão de pelo menos mil pessoas, oriundas de tantas nações ao redor do planeta. O Senhor trouxe esta passagem de Isaías à minha mente:

> O Senhor dos Exércitos dará neste monte a todos os povos
> um banquete de coisas gordurosas,
> uma festa com vinhos velhos, pratos gordurosos com tutanos e vinhos velhos bem clarificados.
> Destruirá neste monte a coberta que envolve todos os povos e o véu que está posto sobre todas as nações.
> Tragará a morte para sempre,

e, assim, enxugará o Senhor Deus

as lágrimas de todos os rostos,

e tirará de toda a terra o opróbrio do seu povo,

porque o Senhor falou.

Naquele dia, se dirá:

"Eis que este é o nosso Deus,

em quem esperávamos, e ele nos salvará;

este é o Senhor, a quem aguardávamos;

na sua salvação exultaremos e nos alegraremos."

(Isaías 25.6-9)

Jesus é a esperança das nações! Ainda assim, muitas pessoas não esperam por sua salvação. Morremos tentando salvar a nós mesmas. Enquanto eu olhava e ouvia as fontes musicais, lágrimas deslizaram pelo meu rosto e foram apanhadas pelo vento. A emoção que senti naquela noite foi uma sombra do que Jesus sentiu quando olhou para uma multidão uma vez e disse que estava profundamente comovido porque as pessoas eram como ovelhas sem pastor.

ELE SE IMPORTA COM VOCÊ — CONFIE NELE!

Esse Jesus, que nos diz para não ficarmos ansiosas por coisa alguma, é o Filho de Deus, a quem foi dado o encargo de todas as coisas no universo. Com certeza uma mãe ama seu filho, o adora e memorizou cada marca de nascença e peculiaridade da personalidade dessa criança. Quanto mais o Deus que sabe o número de fios de cabelo em sua cabeça te ama e importa-se com as suas necessidades?

Jesus estava satisfeito por morrer em nosso lugar. Ele justificou o ímpio e nos deu sua justiça. Ninguém tirou a vida de Jesus; ele mesmo a deu: "Ninguém a tira de mim; pelo contrário, eu espontaneamente a dou. Tenho autoridade para a entregar e também para reavê-la. Este mandato recebi de meu Pai" (João 10.18).

Você procuraria por Jesus para que ele a guiasse? "Pois o Cordeiro que se encontra no meio do trono os apascentará e os guiará para as fontes da água da vida. E Deus lhes enxugará dos olhos toda lágrima" (Apocalipse 7.17).

Rogue com sua própria alma as glórias de Jesus, alegre-se nele e regozije-se em sua salvação! Confie nele com os anseios do seu coração, porque ele se importa com você! Lute com seu coração rebelde até à submissão de sua benignidade, se assim tiver que ser. Jesus é o grande pastor e o único que pode te conduzir para fontes de água viva.

CUIDADOS ZELOSOS COM O LAR PARA JESUS

A Bíblia é clara sobre o nosso propósito, nosso problema, nossa paz e nossa porção. Fomos criadas à imagem de Deus para cuidar dos outros, porém temos caído para o pecaminoso egocentrismo. Falhamos em adorar a Deus como deveríamos através da obediência a ele. Mas Deus... Deus enviou Cristo, nosso redentor, para ser a nossa paz ao expiar nossos pecados e para nos dar a sua justiça. Agora, em Jesus, o pão da vida, temos uma herança que nunca irá desaparecer.

Manter um lar, servir estranhos, "aquietar-se", criar uma família — nada disso jamais foi sobre nós. Sempre foi pelo bem do evangelho. Eu preciso me lembrar disso constantemente, então memorizei Tito 2.11-14, que é o ímpeto para o frequentemente citado Tito 2.3-5:

> Quanto às mulheres idosas, semelhantemente, que sejam sérias em seu proceder, não caluniadoras, não escravizadas a muito vinho; sejam mestras do bem, a fim de instruírem as jovens recém-casadas a amarem ao marido e a seus filhos, a serem sensatas, honestas, boas donas de casa, bondosas, submissas ao marido, para que a palavra de Deus não seja difamada.

Tito 2.3-5 é uma descrição de como as mulheres cristãs devem se comportar e explica o por que: para que a Palavra de Deus não seja insultada. Em outras palavras, nos comportamos dessa maneira para que o nosso comportamento afirme, não contradiga, a mensagem do evangelho. Tito 2.11-14 expande o porquê por trás de todas essas instruções:

> Porquanto a graça de Deus se manifestou salvadora a todos os homens, educando-nos para que, renegadas a impiedade e as paixões mundanas, vivamos, no presente século, sensata, justa e piedosamente, aguardando a bendita esperança e a manifestação da glória do nosso grande Deus e Salvador Cristo Jesus, o qual a si mesmo se deu por nós, a fim de remir-nos de toda iniquidade e purificar, para si mesmo, um povo exclusivamente seu, zeloso de boas obras.

Que grande chamado e privilégio ser uma dona de casa zelosa para Jesus! Então, em seus afazeres domésticos, ao cozinhar, ao ser uma boa esposa, ao educar seus filhos e na hospitalidade, que sua alma se banqueteie no Pão da Vida e faça o que for necessário para ajudar as pessoas a ansiarem pelo verdadeiro Pão que dá a vida.

Capítulo 7

TODA GRAÇA
E TODA SUFICIÊNCIA
PARA CADA CONVIDADO
DO JANTAR

Gosto de pensar que sou uma pessoa fácil de lidar, especialmente quando se trata de dividir. Gosto de pensar que fico feliz em dar o que quer que seja se for para ajudar alguém. "Dividir é se importar!", meus amigos sul-africanos gostam de dizer, e eu gosto de pensar que o altruísmo é incorporado à minha atitude de *laissez-faire* sobre dividir uma cozinha com a igreja.

O GRANDE ENIGMA DO FILTRO DE CAFÉ

Sim, eu divido a cozinha com nossa igreja. As funções da nossa casa são também do escritório da igreja/pastoral e espaço para encontros. Toda família precisa de uma cozinha, todo escritório precisa de uma cozinha e todo espaço de encontros precisa de uma cozinha. Todas essas três entidades utilizam a mesma cozinha, contudo, felizmente, pela graça de Deus, existem três refrigeradores nela!

Eu não costumo me importar com a eventualidade "onde foi que esta ou aquela louça ou colher foram parar?". Honestamente, não me importo. Mas mesmo com minha atitude maleável, dividir uma cozinha tem sido desafiador para mim. Até diria que dividir as coisas (em geral) tem sido uma oportunidade para a santificação em minha vida. Não é assim que o Senhor usa coisas que são tão comuns para nós, para moldar nossas almas e nos deixar mais preparadas para a vida eterna no céu?

Nas manhãs, a primeira coisa que procuro na cozinha são os filtros de café. Bebo café todas as manhãs.

Até gosto de dar um nome à manhã dependendo do tipo de café que precisarei para gerenciá-la. Se as crianças dormem até depois das sete da manhã e surgem de seus quartos imaculadas com grandes sorrisos em seus rostos, todas vestidas e de mãos dadas, então é apenas um tipo *americano* de manhã. Porém, se eu tiver perdido a última meia hora de sono pela qual desejava e o bebê tiver feito um estardalhaço no meio do meu tempo devocional matutino — que apressadamente terminei quando descobri que o mau cheiro vindo através das saídas de ar era da fralda de alguém vazando diarreia—, então chamaria essa manhã de *dupla-dose-de-expresso-sem-senso-de-humor*.

O Grande Enigma do Filtro de Café em questão aconteceu em uma manhã comum. Era um tipo de dia *café-aguado-gelado*. A fim de preparar o tal café gelado, eu precisava de uma mistura fresca para começar. E, para preparar um pouco de café, eu precisava de um filtro de café; o último filtro dos que tinham sido levados e usados pelo grupo que utilizou as salas de reunião na noite anterior. Estaria mentindo se dissesse que não estava frustrada. Por que eles tinham que ir até o meu armário e pegar meu último filtro de café?

FILTROS DE CAFÉ SÃO AS MENORES DAS MINHAS PREOCUPAÇÕES

No instante seguinte ao que senti aquela pontada de direito, percebi como aquilo era insignificante. Realmente — o que uma xícara de café gelado significa no escopo da eternidade? Minha vida está em Cristo, e isso deveria me dar motivo para uma eternidade de alegria. Jesus não disse que a vida é mais do que o corpo, e o corpo é mais do que o alimento? Certamente o café entra nessa categoria, certo? Se eu sei todas essas coisas, então por que não posso, de bom grado, compartilhar algo tão simples como um filtro de café, a fim de deixar os outros contentes?

Claramente o problema está comigo. Esse incidente me mostrou de maneira nítida que não importa quão maleável eu pense ser, tenho um agudo senso de direito. Algo tão insignificante como um filtro de café, que pesa menos de um grama, pode carregar o fardo de toda a lei de Deus sobre meus ombros. Nessa faísca singular de direito irado, eu era culpada de ofender a santidade de Deus. Preciso de um Salvador!

Em seu famoso Sermão do Monte, Jesus disse: "Ouvistes que foi dito aos antigos: 'Não matarás; e: Quem matar estará sujeito a julgamento.' Eu, porém, vos digo que todo aquele que sem motivo se irar contra seu irmão estará sujeito a julgamento; e quem proferir um insulto a seu irmão estará sujeito a julgamento do tribunal; e quem lhe chamar: 'Tolo', estará sujeito ao inferno de fogo" (Mateus 5.21-22). Pode parecer um exagero comparar minha ira com assassinato. Todavia Jesus é claro — a ira injusta é um pecado contra Deus. Embora as consequências desses dois pecados sejam diferentes, a questão de Jesus é que todo o nosso pecado é contra um Deus que é infinitamente santo. O assassinato é uma tentativa de apagar a imagem de Deus aqui na Terra. A ira injusta contra alguém feito à imagem de Deus é uma ofensa ao Criador. Quando minimizamos a ofensividade do nosso pecado, estamos tentando diminuir a santidade de Deus.

Minha explosão de ira é apenas um aspecto da minha ofensa. O egoísmo que motivou a ira é também uma marca contra mim. A atitude de superioridade sobre outras pessoas é outra. E assim também é a suposição arrogante de que eu sou a melhor compartilhadora do mundo. O caso contra mim continua a aumentar e nenhum advogado pode encontrar uma brecha na lei perfeita de Deus para me absolver desses crimes contra sua santidade.

O que devo fazer na próxima vez que algo meu for pego, usado, solicitado ou dado? Acreditar nas boas-novas! O próprio Juiz apresentou seu Filho para suportar a punição do meu pecado e me dar sua justiça perfeita. Estarei livre desse pecado sufocante apenas à medida que me arrepender dele e, ao invés disso, descansar com alegria na obra salvadora de Cristo. Só Jesus pode substituir o desejo que tenho de ditar como, quando e se os meus bens serão divididos com os outros.

EU NÃO CONSIGO CEDER

Eu sei que este desejo de ditar como, quando e se minhas posses serão divididas com os outros não está apenas em meu armário de café. Também não está só em minha cozinha. Ele se estende a cada aspecto do meu lar, meu livro de bolso, minha família, meu tempo e minha vida. As gavinhas da videira da minha ganância, egoísmo e orgulho se entrelaçam em torno do meu coração.

Não que eu não tenha nada para dar aos outros — certamente posso doar uma dúzia de pacotes de filtros de café. Tenho recursos para abrir minha cozinha para qualquer um que queira utilizá-la. Temos espaço em nossa casa para emprestar a quem precisar em qualquer manhã, tarde ou noite. Tenho vinte e quatro horas todos os dias, disponíveis àqueles que precisam de mim. O problema não está com os recursos que possuo; o problema encontra-se na minha disposição de compartilhá-los e de onde esses recursos são provenientes.

Se eu tentar, eternamente, estender hospitalidade aos outros, usando apenas a bondade insuficiente e limitada contida em meu coração, então sinto pena de quem se sentar à mesa da nossa cozinha ou deitar sua cabeça sobre os travesseiros em nosso quarto de hóspedes. Se a hospitalidade que dou aos outros só advém do que tenho a oferecer, meus convidados estarão melhores dormindo do lado de fora do portão.

JESUS É O VERDADEIRO E MELHOR ANFITRIÃO

Eu poderia tentar uma série de estratégias para consertar meu problema de ganância/orgulho/egoísmo, mas o verdadeiro arrependimento é ilusório em minhas estratégias automotivadas para me tornar uma pessoa mais hospitaleira. Em vista disso, o que pode efetuar uma mudança duradoura em meu coração? A bondade de Deus nos conduz ao arrependimento (Romanos 2.4). Há um agradecimento dirigido a Deus que é uma gratidão duradoura em face do querer e precisar. Quando o sofrimento em razão do nosso pecado e a gratidão pelo dom da graça se encontram na cruz, um poderoso trabalho de transformação ocorre em nossos corações. Se sabemos que já estamos salvas pela obra que Cristo fez na cruz, podemos ter uma confiança corajosa em Jesus para, alegremente e sacrificialmente, darmos a outros. Quando contemplamos as promessas de Deus em Cristo, pela fé, nos arrependemos de nosso pecado e nos regozijamos em Jesus!

Jesus é o verdadeiro e melhor anfitrião, que nos chama à presença de Deus por meio do sacrifício de seu próprio corpo. Jesus, nosso Senhor, nos dá o maior panorama de hospitalidade que o mundo jamais viu. Jesus deu sua vida para que pudéssemos ter um lugar garantido na casa de seu Pai eternamente. Ele derrotou a escuridão para que pudéssemos viver na cidade que é iluminada pela luz do Cordeiro. Isso é hospitalidade bíblica! Em decorrência da morte sacrificial de Cristo na cruz, Deus nos acolhe, órfãs espirituais, em sua família eterna.

Porém Jesus não é só a epítome da hospitalidade; ele é também o nosso Salvador. Seu histórico de hospitalidade perfeita é creditado a nós ao recebermos sua justiça pela fé. Sua obra hospitaleira na cruz torna possível que Deus perdoe os nossos pecados. A hospitalidade celestial da santíssima Trindade é o gesto mais grandioso de abnegação, sinceridade, humildade, generosidade e amor que o mundo já viu. Deus abre nossos corações cirurgicamente para que possamos ter casas abertas à sua glória.

Pense nisso: Deus, o Pai, realizou um projeto para resgatar a humanidade decaída, restituindo-nos a um relacionamento correto com ele, e nos glorificará à perfeição sem pecado, para que possamos adorá-lo por toda a eternidade. Deus, o Filho, humilhou-se na encarnação e entrou em sua própria criação, residindo em um útero que ele criou. Em sua vida, exemplificou grande humildade ao enfrentar todas as nossas tentações, a fim de se tornar nosso Grande Sumo Sacerdote. Em sua morte, humilhou-se na cruz e suportou os nossos pecados como um criminoso, apesar de nunca ter pecado.

E embora tenhamos rejeitado seu testemunho perfeito da grandeza da glória de Deus desde a queda no jardim do Éden, o Espírito Santo generosamente continua seu ministério de convencer o mundo do pecado, amorosamente administrando a graça comum divina e, humildemente, passando a residir nos corações dos filhos e filhas redimidos de Deus. Vemos através da hospitalidade de Deus como ele está empenhado em tornar central a sua glória na história da redenção.

SIRVA COM A FORÇA QUE DEUS PROVÊ

Conhecer como Deus nos dá hospitalidade no evangelho não é o mesmo que viver a realidade disso ou ser capaz de estender essa hospitalidade aos outros.

Todo esforço em hospitalidade deve fluir de uma dependência da graça de Deus — a graça mostrada a nós na cruz que garante a graça para nosso futuro. Nós nos lembramos da cruz e vemos como Jesus nos mostrou o que é hospitalidade em aceitar os outros pelo amor de Deus, com a finalidade de trazê-los para perto dele. E nós temos em vista a graça em Jesus Cristo, conforme ele também provê aquilo de que precisamos, de modo a estender hospitalidade graciosa aos outros.

Por causa da graça de Deus no evangelho, a nossa hospitalidade pode ser altruísta, generosa e autêntica. Uma das maneiras pelas quais nos libertamos do orgulho, da ganância e do medo em nossa hospitalidade ocorre quando servimos com a força que Deus provê. "Se alguém fala, fale de acordo com os oráculos de Deus; se alguém serve, faça-o na força que Deus supre, para que, em todas as coisas, seja Deus glorificado, por meio de Jesus Cristo, a quem pertence a glória e o domínio pelos séculos dos séculos. Amém!" (1 Pedro 4.11).

Nesse sentido, como servimos com a força que Deus fornece, para que ele obtenha a glória? Filipenses 4.19 nos mostra outra conexão entre a provisão de Deus e sua glória: "E o meu Deus, segundo a sua riqueza em glória, há de suprir, em Cristo Jesus, cada uma de vossas necessidades". A provisão de Deus para nosso ministério flui de Jesus — um suprimento que é ilimitado como o poder ilimitado do Cristo ressurreto ao sentar-se em seu trono.

Quando servimos com a força que Deus provê ao invés de nossas próprias energias ou motivações, conseguimos servir com alegria para o louvor de sua glória. Não precisamos ser mártires amarguradas no altar da hospitalidade.

NÃO PAGANIZE A HOSPITALIDADE CRISTÃ

D. A. Carson nos adverte contra o uso da hospitalidade e serviço como meios de glorificar a nós mesmos. "Se iniciarmos o serviço cristão e pensarmos em tal serviço como um meio para nos centralizar, nós teremos paganizado o serviço cristão; nós domesticamos a vida cristã e a colocamos a serviço de uma causa pagã".[1]

Quem nunca esteve na casa de outras pessoas, onde se sentiu como se o lar ou a refeição fossem uma exibição intencionalmente orquestrada para a glória do anfitrião? E quem de nós não *foi* essa anfitriã? Nosso desejo por admiração é diluído e os elogios dos outros são abafados ao servirmos com a força que Deus provê. Por que tomaríamos o crédito pelo fruto do Espírito Santo em nossas vidas?

Nem sempre fica claro para os meus filhos o que coloquei em suas refeições. Com frequência, minha filha mais velha pergunta: "Mamãe, o que você colocou nessa vitamina?" ou "Como você preparou meu sanduíche?". A maioria das vezes eu gosto de provocá-la com uma resposta do tipo: "É a minha nova receita de vitamina: cascos de unicórnio e selos postais. Por quê? Você gosta?". Outras vezes, digo a ela que coloquei afagos, confiança e graça no liquidificador para eles, ou que fiz seus sanduíches com paz e amor. Parece bobo, mas é um lembrete para mim de que, quando alimento as pessoas, devo fazê-lo com o amor de Cristo, com o objetivo de honrá-lo. Alimentar pessoas é mais do que dar-lhes calorias para a sustentação da vida; é uma oportunidade para compartilhar com eles a graça de Deus que faz a alma reviver.

Servir com a força provida por Deus, de acordo com suas riquezas em Cristo, resolve o problema que temos com a hospitalidade que serve a nós mesmas. Quando alguém vem à nossa casa, podemos focar em apresentar Jesus ao invés de nossa autoapresentação.

Já houve alguma vez em que não fomos tentadas a nos sentir como se tudo o que tivéssemos para oferecer a um convidado fosse o que está em nossos armários da cozinha? Quando nossas almas são preenchidas com as glórias do evangelho, podemos oferecer aos nossos convidados o Pão da Vida!

Quando consideramos a generosidade do Filho de Deus em dar a sua vida, somos livres para dar qualquer coisa e tudo o que ele nos deu para que possamos conhecê-lo melhor.

Todo esforço, por minúsculo que seja, de compartilhar os presentes que Deus nos deu, é amplificado e multiplicado para o seu louvor, assim como com os pães e os peixes. Nosso serviço para com os outros agrada a Deus quando é feito por sua causa e é um transbordar da nossa fé nele. Servi tanto água em copos descartáveis quanto refeições *gourmet* em um jantar elaborado, enquanto considerava a verdade de que Deus se agrada do meu trabalho feito pela fé.

Os pretextos para não servirmos alegremente na hospitalidade são inúmeros. Não temos tempo, não temos espaço, há outras pessoas que consideramos mais importantes, não temos coisas boas o suficiente para dividir, não temos os ingredientes para preparar a refeição que preferiríamos servir, nossa casa não é grande coisa comparada à que os outros possuem e assim por diante. As boas-novas do evangelho nos libertam das racionalizações egocêntricas que fazemos e que nos impedem de estender hospitalidade graciosa ao próximo. Conforme nossa fé constata a veracidade das afirmações de Deus em ser capaz de suprir todas as nossas necessidades, experimentamos as riquezas da graça de Deus em Cristo, e ele nos ajuda a, alegremente, nos desapegarmos das nossas coisas, do nosso tempo e da nossa energia.

A ALEGRIA DO SENHOR
A FORTALECE PARA A HOSPITALIDADE

Como seria a nossa hospitalidade se acreditássemos que a morte de Jesus na cruz foi a medida da compaixão de Deus para alguém? Ah, como nós procuraríamos servi-los com a força que Deus provê!

Vivenciei a hospitalidade de pessoas cujas esperanças estavam em Deus. Sua fé na provisão de Deus fez com que elas fossem verdadeiramente generosas e prontas a dividir conosco qualquer coisa que possuíam — até sua própria cama. Nossos amigos, que eram novos conhecidos à época, ouviram que a nossa família estaria viajando regularmente para a sua cidade. Estavam ansiosos para dividir seu apartamento conosco naqueles finais de semana. Eu me lembro de perguntar ao meu marido: "Mas eles não têm nenhum quarto sobrando, têm?". Sua resposta foi: "Eu acho que eles já têm isso resolvido". Nossos novos amigos cederam, com alegria, seu quarto para nossa família, enquanto dormiram com seus dois garotos num sofá-cama. Durante aqueles finais de semana, em várias ocasiões, nossa anfitriã comentou: "Que bênção para nós! Nós amamos tê-los aqui e amamos dormir com nossos garotos!".

Fomos criadas em Cristo Jesus para caminhar nas boas obras, como mostrar hospitalidade (Efésios 2.10), então devemos mostrar hospitalidade de um modo digno do chamado de Deus. Jesus fornece o amor *ágape* de que precisamos, e, quando nossas almas estão satisfeitas nele, transbordamos em amor ao próximo. Quando amamos nossos vizinhos dessa forma, imitamos a Deus e caminhamos em amor como Cristo nos amou (Efésios 5.1-2). Então alegre-se na provisão do amor de Jesus e veja como o amor flui livremente a partir de sua casa, para abençoar quem quer que Deus traga à sua porta.

A verdadeira hospitalidade não pode ser nada além da glorificação a Deus. Deus leva a glória quando servimos com a força que ele provê.

A justiça de Cristo é nossa esperança, já que todas falhamos em alcançar seus padrões de perfeição, alegremente dados em hospitalidade. A alegria de Cristo também será nosso conforto e deleite.

Em Neemias 8, quando Esdras, o escriba, lê em voz alta o Livro da Lei para o povo de Deus durante toda a manhã, a convicção de seus pecados perfurou seus corações, e eles sofreram. Cada homem, mulher e criança estavam chorando. Na verdade, estavam à beira da histeria. O texto diz que Neemias, Esdras e todos os levitas (sacerdotes) tinham que acalmá-los repetidamente. Que palavras confortariam tais almas sofredoras, que haviam visto a santidade de Deus em sua lei perfeita e compararam-na com sua própria pecaminosidade? Neemias 8.10 nos mostra o que Neemias disse às pessoas: "Ide, comei carnes gordas, tomai bebidas doces e enviai porções aos que não têm nada preparado para si; porque este dia é consagrado ao nosso Senhor; portanto, não vos entristeçais, porque a alegria do SENHOR é a vossa força".

Se a alegria do Senhor é a força dos israelitas arrependidos, isso então é verdade para mim, uma filha redimida do Altíssimo. Deus não se contenta em fornecer meramente a força de que precisamos para a hospitalidade, mas ele tem o objetivo de ser o nosso deleite enquanto servimos aos outros.

Estamos destinadas à alegria eterna por causa da maravilhosa hospitalidade de Cristo em abrir um caminho para Deus através de seu próprio corpo. Nós podemos servir aos outros com contentamento, sabendo que as cenouras que descascamos e as fraldas que trocamos são como para o Senhor.

Quando mostramos hospitalidade dessa maneira, podemos ver como "Deus pode fazer-vos abundar em toda graça, a fim de que, tendo sempre, em tudo, ampla suficiência, superabundeis em toda boa obra" (2 Coríntios 9.8). Nosso papel é servir com a força que Deus provê, e é o papel de Deus fazer com nosso serviço o que lhe aprouver. Ele fornece a força e, em sua abundante hospitalidade, também nos dá alegria!

UMA PERSPECTIVA ETERNA SOBRE FILTROS DE CAFÉ

A graça de Deus em Cristo é para desfrutarmos e partilharmos com os outros. Quando tenho esta graça em mente, posso ver as minhas posses e as necessidades dos outros à luz da eternidade. O que é um filtro de café, realmente? O que é isso, quando comparado a Jesus, que é minha posse duradoura no céu?

Quando divido minhas coisas insignificantes pelo amor de Jesus, ele diz que isso é significante para ele: "E quem der a beber, ainda que seja um copo de água fria, a um destes pequeninos, por ser este meu discípulo, em verdade vos digo que de modo algum perderá o seu galardão" (Mateus 10.42). Mesmo que seja somente um copo d'água, quando dividido pelo amor de Jesus, é uma extensão da hospitalidade que Jesus nos mostrou na cruz.

No meu caso, poderia ser ainda melhor se esse copo d'água fosse aquecido até a fervura e infundido com pó de café. Acredito que Deus possa me dar a alegria de que necessito nele para dividir esse copo também.

Capítulo 8

ELE NOS LAVA
E NOS DEIXA ALVOS
COMO A NEVE

Se havia uma coisa que eu mudaria na minha casa, sem pensar duas vezes, seria o piso da minha cozinha. Ele é possivelmente o que mais me irrita na vida doméstica. E por essa razão, estou convencida de que Deus, ao me levar ao limite nas áreas da paciência, resistência e autocontrole, escolhe usar o piso da minha cozinha para moldar o meu caráter como o de Cristo. Como poderia um chão de cozinha ser a causa de tamanha consternação e conflito espiritual? Deixe-me explicar.

MEU REPUGNANTE CHÃO DE COZINHA

O piso tem entre dez e quinze anos de idade. É um azulejo branco de cimento que há muito tempo já perdeu seu verniz de proteção.

Os azulejos são unidos por rejunte branco profundamente sulcado. Tenho certeza de que em seus dias de glória, ele deve ter sido espetacular, talvez até mesmo o orgulho e a alegria da dona da casa. Mas esses dias se foram. Ah, eles se foram para *sempre*.

Se você simplesmente caminhar sobre o piso da cozinha com pés ou sapatos nada menos do que imaculados, os azulejos absorverão sua sujeira como uma esponja. Quando você tenta varrer as migalhas das torradas do café da manhã, o pão cai entre as fendas de argamassa, atraindo as formigas a trilhar para o banquete. Se alguém derrama qualquer espécie de líquido no chão (o que em nossa casa acontece algumas vezes durante o dia), então o líquido penetra na argamassa de cimento e desperta novamente "o fedor". *O Fedor* é o nome que eu dei ao odor malcheiroso que ninguém consegue distinguir direito. "Que cheiro é esse? De onde ele vem?": é *o fedor*. Se eu pudesse simplesmente resolver o problema com dinheiro e pagar alguém para renovar a cozinha, teria feito isso ontem.

Posso dizer com confiança que tentei utilizar cada produto de limpeza que tenho à disposição. Tive a argamassa "refeita" para que ela não ficasse tão profunda como era antes — duas vezes. Até mesmo considerei pegar um filhote de cachorro, expressamente com o propósito de deixa-lo comer a comida que cai no chão da cozinha. Isso resolveria o problema com as formigas. Brincar com filhotes é mais divertido do que esfregar o chão com água sanitária. Mas, infelizmente, eles vêm com suas próprias bagunças, e ninguém em nossa casa está disposto a tornar isso seu trabalho e ficar atrás de um filhote de cachorro, limpando sua sujeira.

"Quem construiria uma cozinha com azulejos brancos e brilhantes?", meu marido concorda comigo.

Ele está certo — quem escolheria um elemento tão difícil de limpar para um cômodo da casa que fica imundo várias vezes ao dia?

A única coisa que se aproxima remotamente de uma solução efetiva na remoção da sujeira do chão é um compressor de ar. Infelizmente, compressores de ar não apresentam bom custo-benefício ou praticidade. De outro modo, usaria um para remover o lixo do piso da cozinha depois de cada refeição.

Todos os produtos de limpeza prometem a mesma coisa — garantia de 100% para limpar 99,9% das bactérias e da sujeira. E todos falham em fazer isso. O chão nunca estará perfeitamente limpo, e as migalhas e areia continuarão aparecendo. Só preciso me conformar com o "tão limpo quanto possível" ou transformá-lo numa praia e parar de fingir que posso limpá-lo.

CORAÇÃO, NÓS TEMOS UM PROBLEMA

Meu repugnante chão da cozinha e sua propensão para absorver sujeira é uma imagem dos nossos corações. Não importa o quão forte esfreguemos, não podemos apagar nossa iniquidade. A vergonha do nosso pecado é como a mancha fantasma em uma camisa que reaparece depois de ter secado. Ela é profunda nas fibras da camisa e, quando a temperatura certa é aplicada, emerge para a superfície do tecido. A mancha é permanente.

O rei Davi sentiu intensamente a necessidade de ser purificado de seus pecados. Depois que Natã, o profeta, o confrontou por adultério, assassinato e mentira, Davi escreveu o Salmo 51. Nos versos 1 e 2 ele diz:

Compadece-te de mim, ó Deus,

segundo a tua benignidade;

e, segundo a multidão das tuas misericórdias,

apaga as minhas transgressões.

Lava-me completamente da minha iniquidade

e purifica-me do meu pecado.

Os pecados de Davi foram graves e trouxeram consequências de longo alcance para ele mesmo, para a família que ele destruiu e para o seu reino. Às vezes, lemos sobre o caso de Davi com Bate-Seba e o assassinato de seu marido e não nos identificamos. Podemos pensar, em nossos corações, que o adultério e a conspiração para cometer assassinato simplesmente não parecem relevantes para nossa relativa moralidade. Nós gostamos de acreditar que somos como Davi quando ele estava matando o gigante Golias. Porém, quando se trata desse aspecto da vida de Davi, gostamos de imaginar que somos mais parecidas com Natã.

Mas o que Davi diz, nos versículos 4 e 5, põe um fim nos argumentos de autojustificação:

Pequei contra ti, contra ti somente,

e fiz o que é mal perante os teus olhos,

de maneira que serás tido por justo no teu falar

e puro no teu julgar.

Eu nasci na iniquidade,

e em pecado me concebeu minha mãe.

Davi seduziu Bate-Seba e assassinou seu marido, mas ainda assim diz que seu pecado é contra Deus. Davi diz que não somente fez algo que Deus considera mau, como também ele mesmo é mau: "Eu nasci na iniquidade". Assim como o Rei Davi é, nós todas somos — *somos pecadoras e pecamos.*

Mesmo não gostando do chão da minha cozinha, posso apreciar como olhar para ele me dá um momento para recordar o evangelho. Meu problema com o chão encardido da cozinha não é assim tão diferente do problema do pecado. Os nossos métodos são ineficazes para nos livrar da mancha do pecado em nosso coração. Varremos nossa culpa para outro lugar e a enterramos nas fendas do nosso coração. Contudo, na próxima vez que algo se derrama nas fendas, "*o fedor*" enche nossas narinas, e queremos saber: "De onde é que isso está vindo?".

Costumava achar que tinha um pavio longo no que diz respeito à minha propensão a me irritar com as pessoas. "Ah, eu sou tão paciente", diria a mim mesma. "Eu posso passar grandes períodos de tempo sem me irritar com ninguém!". Então, quando finalmente me irritava, eu era explosiva. Palavras afiadas voariam como punhais pelo ar, a fim de perfurar os corações de qualquer um que estivesse dentro do alcance sonoro. Eu era, realmente, tão paciente assim? Não, eu estava varrendo minha amargura para longe, de modo a alimentar minha raiva. Não estava matando a raiva, cortando-a pela raiz ao perdoar as pessoas. Quando a oportunidade surgia para finalmente expressar como me sentia, tornava-se óbvio que "*o fedor*" no meu coração estava vivo e florescendo. Tenho pena do tolo que ficar no caminho desta tola quando ela estiver raivosa.

O fedor em nosso coração, que também afeta outras pessoas, não é o nosso maior problema. Somos ineficientes em lidar com nosso pecado e com as consequências dele, como a culpa e a morte, mas, acima de tudo, o nosso pecado ofende a Deus. Deus é puro e santo. "Pelo que ainda que te laves com salitre e amontoes potassa, continua a mácula da tua iniquidade perante mim, diz o Senhor Deus" (Jeremias 2.22).

Jó descreveu a justa fúria de Deus com o pecado, apesar de suas tentativas de limpar sua culpa:

> Ainda que me lave com água de neve
> e purifique as mãos com cáustico,
> mesmo assim me submergirás no lodo,
> e as minhas próprias vestes me abominarão.
> Porque ele não é homem, como eu,
> a quem eu responda,
> vindo juntamente a juízo.
> Não há entre nós árbitro
> que ponha a mão sobre nós ambos.
> (Jó 9.30-33)

Jó lamentou que, por causa do grande abismo entre Deus e o homem, a reconciliação deste com Deus não é possível. Deus é totalmente diferente de nós — ele é o criador, e nós somos sua criação. Jó estava certo em dizer que nenhum homem pode interceder em nome de outro homem ante o trono sagrado de Deus.

É por isso que a encarnação do eterno Filho de Deus é tão espetacular. O fato de que o Espírito Santo conceberia o Filho de Deus no ventre de Maria, como parte do plano de Deus para salvar seu povo, é espantoso. Só Jesus, o Deus-homem, poderia ser o árbitro entre Deus e o homem. Há um redentor, e ele é o único que pode lidar efetivamente com nosso pecado e nossa culpa.

ELA ME BATEU PRIMEIRO!

Pode ser que você não sinta a necessidade de se limpar do seu pecado. Talvez sinta como se houvesse trabalhado duro para eliminar os pecados graves em sua vida, com o intuito de se tornar "tão limpa quanto possível". Ou talvez sinta que tempo suficiente se passou para acabar com o seu pecado, porque as consequências maiores parecem ter ido embora. Eu entendo isso.

Muitas de nós lutamos para nos identificar com a oração de Davi, no Salmo 51, porque seus pecados tiveram consequências catastróficas, e não podemos ver como qualquer coisa que já tenhamos feito seja tão repreensível quanto o que ele fez. Cometemos um erro crítico quando fazemos isso. Quando comparamos nossos pecados aos de outra pessoa — qualquer uma — estamos medindo nossa justiça com a de nossos vizinhos. Fazemos isso sem sequer pensar. Ninguém teve que ensinar nossa filha a dizer: "Mas ela me bateu primeiro!", para tentar absolver a si mesma da culpa numa briga de irmãs. Quando ficamos mais velhas, dizemos: "Pelo menos eu não sou como aquele pecador atroz ali". Nós imitamos o fariseu: "Ó Deus, graças te dou porque não sou como os demais homens, roubadores, injustos e adúlteros, nem ainda como este publicano" (Lucas 18.11).

É exatamente por isso que o Salmo 51.4 é tão instrutivo para nós. Davi diz a Deus: "Pequei contra ti, contra ti somente, e fiz o que é mal perante os teus olhos, de maneira que serás tido por justo no teu falar e puro no teu julgar". Não é difícil se justificar, quando seus feitos e pecados são comparados aos de outra pessoa.

No entanto, sobre a humanidade, a Bíblia diz: "era continuamente mau todo desígnio do seu coração" (Gênesis 6.5). Quando o apóstolo Pedro repreendeu um mágico que queria se aproveitar do poder de Deus para ganhar dinheiro, ele apontou a ligação entre o pecado do mágico e seu coração: "Arrepende-te, pois, da tua maldade e roga ao Senhor; talvez te seja perdoado o intento do coração" (Atos 8.22).

Somos pecadoras não somente naquilo que fazemos, mas também naquilo que *não* fazemos. A Bíblia diz que "fazemos mal" quando não dispomos nossos corações para buscar o Senhor (2 Crônicas 12.14).

OUÇA O QUE VOCÊ ESTÁ FALANDO

Uma das maneiras mais comuns pela qual o Espírito Santo me convence do meu pecado e da necessidade que tenho do poder purificador de Deus na minha vida é através do que digo. Não passa um dia sequer que eu não sinta arrependimento sobre algo estúpido que disse a alguém pessoalmente, por telefone, ou para todo o mundo de "amigos" e "seguidores" em redes sociais.

Pego o dia de ontem como exemplo. Estava conversando com uma amiga e disse algo sarcástico que provavelmente a ofendeu. Era algo tão estúpido que nem vale a pena repetir, de modo que essa estupidez não entre em sua mente também. Até amontoei mais insultos à glória de Deus quando, por pura preguiça e orgulho, não fiz nenhum esforço para esclarecer, explicar ou pedir desculpas a ela.

Ao sentir a convicção de Deus sobre as minhas palavras descuidadas, para iluminar ainda mais minha necessidade de um Salvador, eu as justifiquei. "*Ela* não deveria ser tão sensível", argumentei. Não só errei no que disse, mas também errei na forma como disse e no que não disse mais tarde. Quando inicialmente confrontada com a minha ofensa a Deus, joguei a culpa para a minha amiga. Ofendi a Deus, que me criou para o louvor da sua glória. Aqui, em vez disso, estava escolhendo adorar a mim mesma. Também ofendi minha amiga, que foi feita à imagem de Deus para refletir sua glória.

É claro que eu sou uma pecadora. É nítido que preciso do poder purificador de Deus para me resgatar do meu pecado e me qualificar a dizer coisas que são boas, verdadeiras e honrosas a ele. Tiago diz, entre outras coisas, que a língua é um "mundo de iniquidade":

> Ora, a língua é fogo; é mundo de iniquidade; a língua está situada entre os membros de nosso corpo, e contamina o corpo inteiro, e não só põe em chamas toda a carreira da existência humana, como também é posta ela mesma em chamas pelo inferno. Pois toda espécie de feras, de aves, de répteis e de seres marinhos se doma e tem sido domada pelo gênero humano; a língua, porém, nenhum dos

homens é capaz de domar; é mal incontido, carregado de veneno mortífero. Com ela, bendizemos ao Senhor e Pai; também, com ela, amaldiçoamos os homens, feitos à semelhança de Deus.

(Tiago 3.6-9)

Quando sinto que meu coração se tornou insensível aos efeitos da minha pecaminosidade, tudo o que preciso fazer é ouvir minha própria boca ou pensar nas coisas que deveria ter dito, mas não disse. Se eu voltar para mensagens dos últimos dias no blog, conversas e atualizações de *status*, então minha autoglorificação e segundas intenções se tornam muito claras para mim.

Fica evidente que não tenho outro lugar para me esconder, a não ser na justiça de Cristo. Naum 1.6-7 diz: "Quem pode suportar a sua indignação? E quem subsistirá diante do furor da sua ira? A sua cólera se derrama como fogo, e as rochas são por ele demolidas. O Senhor é bom, é fortaleza no dia da angústia e conhece os que nele se refugiam".

O AMOR DA SANTÍSSIMA TRINDADE

Quero analisar superficialmente esta passagem de Naum. Quando Naum está proclamando o caráter de Deus, ele não o está contradizendo, mas nós, com frequência, falamos como se estivéssemos contradizendo a natureza de Deus.

Às vezes, quando descrevemos o caráter de Deus, involuntariamente fazemos a oposição de um traço de caráter contra o outro, dizendo coisas como: "Deus é santo, mas ele é amável também". Naum descreve quem é Deus: perfeitamente santo e amável. Deus se enfurece, justamente, com o pecado e Deus é pessoal e bom.

A Bíblia não descreve Deus como um esquizofrênico em conflito contínuo com sua personalidade ou com a divindade trina. O relacionamento entre as pessoas da divindade fluem do caráter perfeito de Deus — não há conflito ou dilema em Deus. Deus é *unificado* em si, assegurando a si mesmo e a nós que ele é glorificado e que nós estamos seguras em sua salvação.

Por exemplo, Deus tanto se opõe, iradamente, ao mal irrefreável de nossas línguas *quanto* nos liberta, misericordiosamente, daquele pecado. Deus não nos criou para que possamos rebaixar seu caráter ou sua criação com palavras caluniosas. O santo Filho de Deus é o cordeiro que morreu com a finalidade de redimir os homens de todas as nações, tribos, povos e línguas, para que eles possam testemunhar que a salvação pertence a Deus. O Espírito Santo nos enche para que possamos falar a Palavra de Deus com ousadia e declarar: "Jesus é o Senhor".

Como Deus é amor, ele deseja ouvir seus filhos cantarem seus louvores e se alegrarem nele. O Pai ama o Filho conforme se regozija ao ouvir seu nome exaltado entre todas as nações. O Espírito ama o Pai e o Filho, que o enviou para testemunhar e proclamar a justiça de Deus em toda a Terra.

As palavras perversas e interesseiras que nossos lábios proferem vêm do transbordamento dos nossos corações e nos contaminam de dentro para fora. Contudo Deus não nos deixa somente como estamos, na condição de quando nos arrependemos e acreditamos em Cristo. O amor perfeito e a santidade do nosso Deus trino nos asseguram de que o próprio Deus irá perdoar fielmente nossos pecados, conforme o sangue de Jesus nos limpa de toda a nossa iniquidade.

A LIMPEZA ANDA AO LADO DA SANTIDADE?

Vivo num local do mundo que é povoado por pessoas preocupadas com a limpeza espiritual. Isso é maravilhoso — Deus me dá muitas oportunidades para falar com meus amigos sobre o que contamina uma pessoa, como se tornar limpo e como se pode permanecer limpo — espiritualmente falando.

Meus vizinhos participam de uma limpeza cerimonial para se prepararem para a oração. Uma amiga me contou uma história sobre como ela e seu marido tiveram uma discussão amarga enquanto estavam fazendo essas limpezas. Perguntei-lhe como as palavras de raiva trocadas impactaram sua oração posterior. Ela não enxergou a ligação entre seu comportamento profano e sua impureza.

Uma amiga limpa o banheiro seis vezes por semana com um produto de limpeza a base de álcool. Os germes não têm a menor chance na casa dela! Outra amiga só pega a mangueira do bidê, borrifa água em toda a superfície do banheiro e deixa secar ao ar. Ambas estão satisfeitas com a limpeza relativa.

Quando criança, eu costumava pensar que a frase "a limpeza anda ao lado da santidade" era um versículo da Bíblia. Eu a ouvia com frequência e nunca pensei em consultar as Escrituras para ver se ela estava lá. Simplesmente fazia sentido para mim. Porém a limpeza física, nos termos espirituais que Jesus utiliza, não anda ao lado da santidade. A limpeza espiritual *é* santidade. A limpeza espiritual não é somente a aparência da santidade no exterior. A verdadeira santidade vem de dentro.

Observe como Jesus usa algo comum, como a cerimônia de lavar as mãos, a fim de apontar para a realidade da santidade de Deus, para a nossa natureza pecaminosa e para a nossa necessidade de salvação. Quando os fariseus questionaram Jesus sobre seus discípulos não terem lavado as mãos de acordo com as tradições dos líderes religiosos, Jesus lhes respondeu com uma pergunta: "Por que transgredis vós também o mandamento de Deus, por causa da vossa tradição?" (Mateus 15.3)

Jesus citou uma tradição que os líderes inventaram para não ter que obedecer a um dos mandamentos de Deus. Os discípulos de Jesus não estavam "limpos" ou "sujos" com base no modo como lavaram suas mãos antes de comer. Jesus explicou que o que faz um homem limpo ou sujo é o seu coração:

> Não compreendeis que tudo o que entra pela boca desce para o ventre e, depois, é lançado em lugar escuso? Mas o que sai da boca vem do coração, e é isso que contamina o homem. Porque do coração procedem maus desígnios, homicídios, adultérios, prostituição, furtos, falsos testemunhos, blasfêmias. São estas as coisas que contaminam o homem; mas o comer sem lavar as mãos não o contamina. (Mateus 15.17-20)

O que mais precisamos além de mãos limpas é de um coração limpo. Deus é o único que pode nos purificar: "Purifica-me com hissopo, e ficarei limpo; lava-me, e ficarei mais alvo que a neve... Cria em mim, ó Deus, um coração puro e renova dentro de mim um espírito inabalável" (Salmos 51.7, 10).

VERGONHA TRANSFORMADA EM ALEGRIA

O que é único a respeito da limpeza que só pode vir de Deus é a reação que ela produz a partir de nós. Quando vivenciamos a vergonha em razão do nosso pecado, nossa tendência natural é nos escondermos dos outros. Deixamos as pessoas fora de nossas vidas, evitamos a oração ou a leitura da Bíblia e encobrimos as evidências do nosso pecado.

A razão pela qual meu filho pequeno esconde as embalagens dos doces roubados nas almofadas do sofá é a mesma razão pela qual você e eu podemos "perder" um telefonema ou um e-mail de uma amiga que está nos perseguindo. É o mesmo motivo pelo qual podemos inventar desculpas para negligenciarmos a comunhão e não irmos à igreja.

Eu amo a honestidade de uma amiga minha. Não a vi em nossa reunião da igreja por uma semana, embora soubesse que ela estava lá em algum lugar. Estava procurando por ela, porque havíamos feito planos sobre algo que teria seguimento com ela. Eu disse: "Ei, eu senti falta de conversar com você na semana passada!". Ela disse: "Sim, eu sei. Eu estava evitando você. Desculpe-me por isso". Minha amiga confessou abertamente que estava se escondendo de explicações. Você vê como ela não deu oportunidade para a vergonha apodrecer em seu coração? Ela confessou com clareza e honestidade.

Nós nos escondemos porque sentimos vergonha e temos medo de sermos envergonhadas pelos outros. É por isso que Adão e Eva se cobriram com folhas de figueira e se esconderam de Deus quando pecaram no jardim.

De volta ao Salmo 51, o que o rei Davi pede depois de rogar por perdão? Em troca da vergonha de seu pecado, Davi pede para o Senhor lhe dar alegria: "Faze-me ouvir júbilo e alegria, para que exultem os ossos que esmagaste" (Salmos 51.8); "Restitui-me a alegria da tua salvação e sustenta-me com um espírito voluntário" (Salmos 51.12). A vergonha nos diz para nos escondermos, mas a alegria transborda em louvor a Deus por sua salvação.

Ao invés de se esconder, o que Davi disse que faria? "Então, ensinarei aos transgressores os teus caminhos, e os pecadores se converterão a ti" (Salmos 51.13). "Livra-me dos crimes de sangue, ó Deus, Deus da minha salvação, e a minha língua exaltará a tua justiça" (Salmos 51.14). "Abre, Senhor, os meus lábios, e a minha boca manifestará os teus louvores" (Salmos 51.15). Apenas uma língua que foi desatada pela graça de Deus pode cantar assim. Somente um coração que foi limpo pela graça de Deus vai se despir para o mundo como um testemunho da misericórdia e justiça de Deus.

Com o que Adão e Eva se depararam quando o Senhor os confrontou? Ele lhes deu graça e cobriu-lhes a nudez com a pele de um animal que abateu em favor deles, e prometeu um Salvador que eliminaria para sempre a vergonha deles (Gênesis 3.15).

A GRAÇA É MAIOR DO QUE O NOSSO PECADO

É digno que se cante este tipo de graça. A compositora de hinos Julia Johnston assim o fez:

> Pecado e desespero, como as ondas geladas do mar,
> Ameaçam a alma com perda infinita;
> Graça que é maior, sim, graça nunca vista,
> Aponta para o refúgio, a cruz poderosa.
>
> Escura é a mancha que não podemos esconder.
> O que pode ser usado para lavá-la?
> Olhe! Ali flui uma maré carmesim,
> Mais brilhante que a neve você pode ser hoje.[1]

William Cowper, embora atormentado pela loucura e depressão aguda, sabia com clareza de coração e de alma que seu pecado foi pago na cruz, quando escreveu:

> Há uma fonte repleta de sangue tirado das veias de Emanuel;
> E pecadores mergulhados naquela enchente perdem todas as suas manchas de culpa.
> Perdem todas as suas manchas de culpa, perdem todas as suas manchas de culpa;
> E pecadores mergulhados naquela enchente perdem todas as suas manchas de culpa.[2]

Robert Lowry escreveu estes famosos versos em seu hino "Só No Sangue":

Quem me poderá salvar?
Cristo que verteu seu sangue;
Onde as manchas vou limpar?
Só no seu precioso sangue.[3]

O maior pesadelo da vergonha é o medo de ser descoberta. Porém o evangelho transforma esse medo em uma ocasião para uma alegre celebração aos pés da cruz. Seremos libertas do efeito controlador da vergonha apenas quando estivermos arrependidas de nossos esforços para nos purificar e, em vez disso, nos regozijarmos no sangue salvador de Cristo.

"QUANDO É QUE _____ VAI MUDAR?!"

Você pode estar pensando: "*Isso tudo parece bom. Mas...*". Talvez o "mas" seja dirigido a você mesma. Você se questiona se um dia irá mudar. Ou talvez sua preocupação seja dirigida a outros. Você imagina se um dia eles mudarão.

Mesmo que possamos recitar versos das Escrituras sobre Deus nos adotando em sua família e nos fazendo coerdeiras com seu Filho, ainda nos desesperamos em relação ao nosso potencial de crescimento em santidade. Ainda que possamos discutir nossa visão bem desenvolvida das metas de Deus na história da redenção, duvidamos de sua vontade de *nos* salvar. Achamos difícil acreditar que Deus está disposto a salvar as pessoas em *nossas* vidas.

Somos pecadoras que são santas vivendo na tensão de um reino presente, mas ainda não. Não é de se admirar que sejamos propensas ao desencorajamento! Se formos honestas com nós mesmas, às vezes até podemos ser tentadas a pensar que o próprio Deus está farto de nós e de todos os nossos pecados, nossa bagagem e nossos problemas. Essa é uma razão pela qual precisamos ser incentivadas umas pelas outras! Até Paulo nos diz como ele precisa do encorajamento de outros: "Porque muito desejo ver-vos, a fim de repartir convosco algum dom espiritual, para que sejais confirmados, isto é, para que, em vossa companhia, reciprocamente nos confortemos por intermédio da fé mútua, vossa e minha" (Romanos 1.11-12).

Certa vez, havia uma mulher tão crítica, que outras mulheres se sentiam, em dados momentos, intimidadas quando conversavam com ela. Uma amiga em particular evitava falar com aquela mulher em contextos sociais e, com o tempo, deixou de investir em sua amizade e em manter contato. Anos se passaram. Depois de um tempo, nenhuma das mulheres notou o distanciamento — nem a mulher crítica, nem a mulher intimidada. Então, algo começou a mudar. Deus estava fazendo-as crescer para se parecerem mais com seu Filho. Pela graça de Deus, a mulher crítica começou a despertar para o fato de seu orgulho e viu o quanto ele ofendia a Deus. Arrependendo-se, ela começou a se regozijar na superioridade e no brilho de Jesus em vez de fazê-lo na sua arrogância.

Aparentemente, a mudança foi perceptível para a amiga que tinha sido tão intimidada no passado. Depois de quatro anos de distância emocional, ela corajosamente a procurou para restabelecer sua amizade, não mais ameaçada pelo potencial e pela probabilidade de julgamento da mulher que era arrogante. A bondade de Deus a levou ao arrependimento! Aquela mulher arrogante, que cheirava a orgulho e a crítica mordaz, sou eu, e a mulher intimidada, na realidade, se refere a várias das minhas amigas. Louvado seja Deus por sua graça! Estou ciente de que essa é uma luta constante, mas eu provei da vitória que Jesus pode dar sobre este pecado quando o percebo por sua graça, por meio da fé.

NÃO É IMPOSSÍVEL VENCER A DESCRENÇA

Eu sei que, às vezes, cantar *"Sou feliz"* com confiança é difícil. As lutas com o desencorajamento e a dúvida não deveriam ser mantidas no escuro. Precisamos ter outros em nossa vida, lembrando-nos de que Cristo é o nosso vencedor, que derrotou o pecado, a morte e Satanás. Disponibilize-se em sua igreja local e comprometa-se a servir ao lado de seus membros. Encontre uma irmã em sua igreja local com quem você possa orar e compartilhar o que está aprendendo na Palavra de Deus. Discutam os sermões e orem juntas pelo diretório de membros de sua igreja. Façam um esforço para estarem intencionalmente envolvidas na vida uma da outra fora dos encontros no culto semanal e das conversas eventuais durante a semana. Faça aquele telefonema para definir um tempo para se encontrarem ou envie um e-mail ou mensagem de texto para começar a se conectar com alguém hoje. Vá pronta para fazer boas perguntas e ser uma boa ouvinte, e leve sua Bíblia para que possam meditar juntas na Palavra de Deus.

Essas sugestões não são uma receita mágica para curar o desânimo. Todavia Deus prescreveu comunhão com outros crentes como um dos meios por ele usados para colocar a verdade do evangelho em nossas vidas.

Todas nós precisamos ser lembradas do compromisso de Deus em terminar o bom trabalho que foi iniciado por ele. Paulo nos assegura que Deus não é um procrastinador: "Estou plenamente certo de que aquele que começou boa obra em vós há de completá-la até ao Dia de Cristo Jesus. Aliás, é justo que eu assim pense de todos vós, porque vos trago no coração, seja nas minhas algemas, seja na defesa e confirmação do evangelho, pois todos sois participantes da graça comigo" (Filipenses 1.6-7).

Pela graça de Deus, ele é triunfante mesmo sobre o seu desespero, seu cinismo e sua dúvida. Isso é verdade para você, mesmo que tenha rotulado a si própria como sem esperança. Isso é verdade para você, mesmo que tenha evitado a prestação de contas como se fosse uma praga. Isso é verdade para você, mesmo que tenha transformado cada embate em uma oportunidade para "morder a mão que te alimenta". Isso é verdade para você, mesmo que anos tenham se passado, e você sinta que nada mudou.

Deus, em sua graça, nos convida a nos arrependermos continuamente dos nossos pecados e a nos regozijarmos na provisão da justiça de Cristo. Porque somos tão propensas ao desânimo em relação a nossa santificação, devemos nos saturar das Escrituras para nos lembrarmos da verdade. Eu pessoalmente sei que meu ceticismo em relação ao meu potencial para crescimento ou de outra pessoa está enraizado em uma visão equivocada de quem Deus é e das implicações de seu evangelho. Eu sei que essa última afirmação exige um pouco de desenvolvimento — livros inteiros foram escritos sobre isso. Para não me estender muito, vou compartilhar apenas algumas coisas que pedi a outros que me lembrassem sobre o assunto.

Quando você cinicamente afirma que Deus nunca mudará isso ou aquilo em você, ou supõe que fulano deve ser uma causa perdida, sua descrença está enraizada em uma ou ambas destas mentiras: (1) Deus não é *capaz* de libertar os pecadores de seus pecados; e (2) Deus não está *disposto* a libertar os pecadores de seus pecados.

Mas Deus é capaz. O poder que ressuscitou Jesus Cristo dos mortos é o mesmo poder que age nos corações daqueles que creem (Efésios 1.19-20).

E Deus está disposto. O desejo que compeliu o Pai a dar seu Filho de bom grado a nós é o mesmo desejo que o motiva a finalizar o que ele começou (Romanos 8.28-32).

Além disso, o compromisso de Deus para salvar aqueles que creem nele é para o louvor da sua glória. Considere as grandes distâncias que o Senhor percorreu para garantir que você esteja nele. "Em quem também vós, depois que ouvistes a palavra da verdade, o evangelho da vossa salvação, tendo nele também crido, fostes selados com o Santo Espírito da promessa; o qual é o penhor da nossa herança, ao resgate da sua propriedade, em louvor da sua glória" (Efésios 1.13-14). A santíssima Trindade está trabalhando em seu favor para a sua salvação e para a glória de Deus!

LUTEM JUNTAS PARA CRER NO EVANGELHO

Acreditar que essas coisas sobre Deus e sobre nós são verdadeiras não é fácil. A confiança em Cristo é uma obra de fé, e há muitos opressores de fé no mundo. A nossa fé está sob ataque das mentiras do diabo, da influência espiritualmente entorpecedora do mundo e até mesmo da dureza de nossos próprios corações.

Quando lutamos para acreditar que o evangelho é verdadeiro, nossos corações precisam de garantia. Ao lembrarmo-nos da verdade do evangelho, "tranquilizaremos o nosso coração; pois, se o nosso coração nos acusar, certamente, Deus é maior do que o nosso coração" (1 João 3.19-20). Contudo nossos corações, às vezes, não conseguem abandonar o peso da vergonha voluntariamente. John Ensor diz que especialmente nessas ocasiões "devemos nos agarrar à verdade da cruz e lutar com nossa consciência de modo a alinhá-la e deixá-la em conformidade com isso. Devemos instruir nossa consciência sobre a cruz, até que nossa convicção de culpa dê lugar à alegria e à confiança. Hebreus 10.22 chama isso de ter 'o coração purificado de má [sobrecarregada] consciência e lavado o corpo com água pura.'"[4]

Nossos corações não podem ser as autoridades definitivas sobre a verdade. Só Deus pode reivindicar esse direito. Às vezes, realmente precisamos levar nossos corações à submissão sobre a verdade de Deus — ao estilo de Martinho Lutero. Quando seu coração lançar seus pecados em seu rosto, diga: "Eu admito que mereço a morte e o inferno. E daí?! Eu conheço aquele que sofreu e satisfez a justiça de Deus em meu lugar. Seu nome é Jesus Cristo, Filho de Deus, e onde ele está, lá estarei também".

Deus não a responsabilizará por pecados que ele imputou sobre o corpo agonizante de seu Filho na cruz. Esses pecados foram pagos integralmente. Essa é a verdade que a liberta! E se o Filho a libertar, você será verdadeiramente livre (João 8.32-36).

Nosso Pai celestial jamais desistirá de qualquer de seus filhos. O Espírito Santo garante isso por sua presença que habita em nós. Jesus, o noivo da Igreja, está comprometido com a obra de purificar sua noiva:

> Maridos, amai vossa mulher, como também Cristo amou a igreja e a si mesmo se entregou por ela, para que a santificasse, tendo-a purificado por meio da lavagem de água pela palavra, para a apresentar a si mesmo igreja gloriosa, sem mácula, nem ruga, nem coisa semelhante, porém santa e sem defeito.
> (Efésios 5.25-27)

Deixe que essa verdade penetre em cada canto do seu coração. Lave-se na palavra do evangelho. Repita o procedimento. (Não precisa enxaguar.)

Capítulo 9

A PRESENÇA PERMANENTE DE DEUS EM NOSSA DOR

Eu não quero ir muito mais longe neste livro antes de dividir com você um pouco mais de onde venho.

OBVIAMENTE, ISSO NÃO É ÓBVIO PARA TODOS

Você provavelmente já deduziu que sou uma esposa e mãe com três filhos pequenos. Meu marido é um pastor e moramos no Oriente Médio. Vivemos na parte de cima de uma casa, que também abriga os escritórios da igreja e serve como espaço de encontro para os estudos bíblicos semanais e outros. Gosto de cozinhar em grande quantidade por dois motivos principais: os recipientes parecem tão limpos e arrumados no meu congelador e tenho um rompante selvagem de pura preguiça. Apenas tirar do congelador o jantar na noite anterior e colocá-lo no forno meia hora antes de comer? Sim, por favor!

Entretanto algo que não é facilmente perceptível em mim é a mesma coisa que você não percebe na maioria das pessoas, embora seja verdade com todos que você conhece. Provérbios 14.13 diz que até no riso o coração pode doer.

Eu vivo em meio à dor.

Nós *todas* estamos carregando algum tipo de fardo — talvez seja um amor ou um filho perdido, uma amizade ou um lar destruído. Nós todas mancamos ao seguirmos com nossas vidas diárias, e, às vezes, a dor é tão profunda que mal podemos suportar ficar em pé.

Quando introduzi minha definição prática de cotidiano como a normalidade de sua vida diária, estou certa de que algumas de vocês se encolheram ao lê-la. Seu dia a dia não é simples ou ordinário, de forma alguma. Seu cotidiano é marcado por situações complicadas e por dor extraordinária. Eu posso apenas imaginar a dor que está presente naquelas que leem estas palavras.

Ontem de manhã, um professor cristão foi, sem piedade, morto a tiros porque estava falando a seus vizinhos sobre Jesus. Os assassinos conspiraram contra ele, perseguiram-no e encheram seu corpo de balas. Acordei esta manhã orando por sua família; meu coração está muito triste por sua esposa e seus filhos. A maioria de nós não vive na realidade diária de sermos mortas pela nossa fé, que Jesus disse ser algo com grande possibilidade de ocorrer (Lucas 11.49). Contudo o cotidiano diário desta pequena família está marcado pelo martírio.

Há um ano, nesta mesma semana, amigos preciosos perderam seu filho de dois anos de idade num acidente de carro. Não se passa um minuto sequer, em seu dia a dia, que não estejam cientes de sua perda. Eles também diriam que não há um momento sequer em que o Senhor também não esteja consciente de sua dor. Sua presença permanente é graça para seus corações em luto.

Essas duas famílias esperam em Cristo e em seu triunfo sobre a dor. Minha história é diferente da deles e da sua também. Mas o mesmo Deus que ministra a eles na dor de seu cotidiano pode nos dar graça também.

Espero que minha história sobre a fidelidade de Deus a encoraje. Compartilhando-a, quero apontar para aquele que diariamente leva o nosso fardo (Salmos 68.19) e que tomou nossas enfermidades e carregou nossas dores em seu próprio corpo (Isaías 53.4).

BRAÇOS QUEBRADOS E CORAÇÕES PARTIDOS

Quando você me ouve dizer que nós não deveríamos depositar nossa esperança em situações terrenas, mas que deveríamos depositar nossa confiança em Cristo somente, isso vem de um coração que se partiu por confiar em coisas que não satisfazem.

Quando eu estava grávida da nossa primeira filha, meu marido perdeu a maior parte das funções em ambos os braços por causa de uma doença genética dos nervos. Ele estava digitando em uma aula do seminário quando seus dedos começaram a formigar. O formigamento logo se transformou em dor. Ele começou a perder a motricidade fina, tal como abotoar a camisa, fazer a barba, digitar documentos, girar chaves e escrever com canetas. A atrofia muscular também se manifestou, e coisas como livros, portas, bebês e utensílios de metal tornaram-se pesadas demais para ele levantar.

Estávamos desolados com o fato de meu marido estar com dor constante. Na época em que a bebê nasceu, a dor do meu marido se alastrou até o cotovelo. Antes do primeiro aniversário da nossa filha, seu outro braço foi atingido também. Enquanto isso, estávamos procurando toda e qualquer solução física disponível a nós naquele momento.

Pessoalmente, eu estava otimista. Tomei cada comentário positivo que as pessoas e os médicos fizeram como uma garantia de Deus, mesmo que eles não tenham dado tal garantia. Acho que estava muito esperançosa de que a medicina moderna tinha uma solução para nós, pois queria me distrair da realidade iminente de que esta situação poderia ficar pior. Além disso, estar esperançosa parece muito melhor do que estar deprimida.

No entanto não demorou muito para que a depressão caísse sobre nossa família como um deslizamento de terra. Meu marido tinha acabado de passar por uma cirurgia bem-sucedida em ambos os cotovelos para liberar os nervos comprimidos e estava se recuperando muito bem. Estávamos em êxtase com o fato de que, finalmente, ele poderia começar a melhorar fisicamente e ser curado de uma vez por todas. Naquele verão, estávamos prontos para nos mudar para o exterior e começar o trabalho de implantação de igrejas, de modo que vendemos todas as nossas coisas (exceto nossos livros), fizemos algumas malas de roupas e organizamos os preparativos para irmos ao ameno deserto da Península Arábica.

Uma vez aqui, tudo estava indo conforme o esperado com a fisioterapia, ajustes de cultura e todos os outros desafios que sabíamos ter de enfrentar. O que não esperávamos era que a condição física do meu marido se deteriorasse ainda mais. Por algum motivo que desconhecemos, dentro do período de uma semana após dirigir intensamente, em um estacionamento lotado, a dor ardente, lancinante, estava de volta em seus braços. A dor não estava aumentando gradativamente como antes — desta vez estava de volta mais agressiva do que nunca.

DEUS, ONDE O SENHOR ESTÁ?

Não consigo sequer começar a descrever como essa experiência foi alarmante. Nossa filha mais velha tinha, então, dezoito meses de idade e começou a ter pesadelos que a arremessavam para fora de seu colchão, que ficava no chão. Eu a segurava enquanto ela se jogava, se virava e se esforçava para dormir. Estava grávida de nossa segunda filha e comecei a sentir fadiga extrema, que durou todo o segundo e terceiro trimestres. Tudo isso estava acontecendo em meio ao estresse da transição de culturas e da tentativa de aprender a viver em meio a uma nova língua. Quando acordávamos pela manhã, orávamos para o dia passar rapidamente, e, quando vinham as noites, eu assistia meu marido insone andar de um lado para o outro, em dor agonizante, enquanto eu, deitada na cama, enjoada, orava para que a manhã surgisse logo.

Em momentos de clareza espiritual, no meio daquele deserto, cantava mentalmente, repetidas vezes, estes versos de um hino querido:

Minha esperança está em nada menos
do que no sangue e na justiça de Jesus.
Não me atrevo a confiar numa situação tão doce,
mas inteiramente no nome de Jesus.
Em Cristo, a sólida Rocha, eu permaneço,
qualquer outro terreno é areia movediça,
qualquer outro terreno é areia movediça.

Foi a esperança do evangelho, e o evangelho somente, que nos sustentou durante esse tempo. E é a esperança do evangelho que nos sustenta até hoje. Nossa situação física se aliviou um pouco; assim como, tendo morado neste país por vários anos, já aprendemos a viver muito bem. Mas meu marido ainda sente dor. Esse testemunho da fidelidade de Deus não tem um arco de fita bem amarrado com os dizeres "e nós todos vivemos felizes para sempre, e Deus respondeu às minhas orações do jeito que eu pensei que ele faria".

Mais de cinco anos depois, ainda sou a única cuidadora física de nossos três filhos. Em alguns momentos, ao longo destes últimos cinco anos, também fui a cuidadora física do meu marido. Às vezes, quando suas dores nos nervos pioram, ou quando ele está se recuperando de uma cirurgia, preciso ajudá-lo a tomar banho e vestir-se, abrir as portas para ele, alimentá-lo, levá-lo às reuniões e buscá-lo delas, escovar os dentes e passar fio dental, pegar os seus livros, tomar notas ou digitar e puxar para trás os lençóis da cama para que ele possa se deitar. Em uma ocasião, entrei no banheiro e o encontrei estirado no chão, com um galo na parte de trás da cabeça. Ele tinha tropeçado ao sair do chuveiro e bateu com a cabeça, porque não teve força nos braços para se segurar. Ele já havia caído pelas escadas antes. Aquelas de nós que têm braços saudáveis sabemos o quanto os usamos para manter nosso equilíbrio.

Posso ver a graça de Deus agindo em minha vida em meio a tudo isso. Durante vários anos, senti um medo sufocante de que Dave iria morrer em um acidente que poderia ser evitado se seus braços fossem fortes. Essa ainda é uma possibilidade, todavia, com o tempo, a graça de Deus tem me ensinado a não viver com medo do desconhecido. Morrer para mim mesma e servir meu marido também têm sido difícil, mas pela graça de Deus, agora, quando Dave me pede para ajudá-lo com alguma coisa, minha primeira reação não é cerrar, sem perceber, minha mandíbula para tentar sufocar as lágrimas amargas contra o muito que Deus nos deu. E sei que sua graça é suficiente para mim quando luto para servir.

Durante essas épocas que são particularmente difíceis para nós, nosso cotidiano é pontuado por um bebê chorando ou uma criança fazendo manha. É nesse momento que tenho que cantar em voz alta aqueles versos do meu hino favorito!

DEUS É BOM, O TEMPO TODO

Dizemos "Deus é bom" quando nossos filhos são obedientes, quando não sentimos dor, quando a casa está em ordem e quando passamos duas horas alegres fazendo artesanato juntas sem qualquer queixa. E estaríamos certas em dizê-lo. Contudo Deus é bom por razões mais profundas do que as nossas experiências de alívio temporário em situações terrenas passageiras.

Como nossa perspectiva muda quando nos sobrevém o inesperado. Eu fiquei desanimada por conta das coisas com as quais tive que lidar em razão da dor crônica do meu marido. Fiquei arrasada ao ouvir a advertência da professora da minha filha sobre como ela se comportou de maneira desrespeitosa. Estava tão chateada que "me dei" uma dor de cabeça de uma semana quando o ar-condicionado central quebrou em agosto. Uma amiga desenvolveu refluxo gástrico durante uma disputa de um ano com seu vizinho a respeito da fixação da cerca que divide suas propriedades. Outra amiga perdeu 6 quilos em decorrência da preocupação e do estresse no mês em que seu marido perdeu o emprego.

Nunca orei tanto para Cristo "apenas voltar logo" como na vez em que meu bebê me mordeu e, em seguida, entrou em greve de amamentação, e quase fui internada no hospital por uma mastite e uma infecção na ferida. Esses são os momentos cotidianos que fazem você querer ficar encolhida, como uma bola, em um canto. E em mais de uma ocasião fiz exatamente isso. Em alguns dias terrivelmente difíceis, meu marido me encontrou sentada no chão, em nosso *closet*, chorando em desespero.

Esses são momentos extremos. Há, também, momentos menos extremos, como aqueles dias mais monótonos quando algo parece fora do normal entre mim e meu marido. Passamos um pelo outro no corredor e parecemos desconectados e estranhos. Às vezes, passam-se dias sem que eu tenha me sentado para fazer uma refeição, porque estou tão ocupada alimentando três pequenos famintos e, possivelmente, alguns convidados. De repente, percebo: "Puxa, o único momento em que me sentei, nos últimos quatro dias, foi à noite, ao ir dormir!". Também há dias em que o pecado obtém o melhor de mim, e passo o dia inteiro reclamando que devo ter acordado do lado errado da cama. Como estou tão mal-humorada, por volta das 22:00 horas já estou pronta para encerrar o dia e colocar as crianças na cama. Como é bom ter Deus nesses momentos do dia a dia!

Há um ditado que aprendi no Quênia quando estava visitando a igreja de lá. Quando alguém diz: "Deus é bom", todos respondem: "O tempo todo". Nós exaltamos o caráter de Deus e afirmamos: "Deus não muda". Mas como o caráter imutável de Deus afeta nossa perspectiva sobre a vida cotidiana? Se Deus não muda, como é que vamos reagir quando nossas circunstâncias mudam? Regozijar-se no caráter imutável de Deus é muito mais difícil quando você sente que sua vida é uma tempestade de areia por todo lado ao seu redor, e que você não pode ver o caminho à frente, muito menos enxergar para onde foi a estrada.

OUSADOS PEDIDOS DE ORAÇÃO

Segundo Martinho Lutero: "Embora nos doa quando ele toma de nós algo que nos tenha dado, sua boa vontade deve ser um conforto maior para nós do que todos os seus presentes, pois Deus é infinitamente melhor do que tudo o que ele nos dá"[1]. Isso é algo muito ousado a se dizer. Ousado porque é preciso ter certeza de duas coisas. Primeiro, é preciso ter fé de que nenhum dano pode ser tão doloroso que Deus não seja capaz de confortar aquele que o sofreu. Em segundo lugar, é preciso ter fé de que nenhum presente de Deus jamais poderia ser maior do que o presente que é ele mesmo. Isso é uma coisa ousada a se dizer e uma coisa ainda mais ousada de se tentar viver. E o mais ousado a se fazer é orar diariamente para que Deus lhe mostre como isso é verdade.

Isso deixa você ansiosa? A mim, sim. Porque nós pedimos a Deus para fazer isso o tempo todo. Você percebeu isso?

É o que estamos pedindo quando clamamos a Deus para nos mostrar misericórdia ou dar-nos graça. É o que estamos pedindo quando oramos suplicando por alívio em nossas situações dolorosas. É o que estamos pedindo quando rogamos por graça futura para algum desafio que aparece ao virar a esquina. Toda vez que dizemos ao Senhor como Moisés disse: "Rogo-te que me mostres a tua glória" (Êxodo 33.18), estamos pedindo a Deus para que nos faça felizes nele. A única maneira com que Deus responde à oração é de acordo com seu caráter perfeito. Deus não pode fazer nada que *não* seja para o louvor da sua glória.

Quando Deus responde às nossas orações, ele sempre o faz de acordo com sua vontade para nossas vidas, ou seja, de acordo com seu desejo de sermos santificadas (1 Tessalonicenses 4.3).

Toda vez que Deus age, ele age com justiça e graça. O Deus que é infinitamente melhor do que todos os seus dons e que é o padrão de perfeita justiça nunca poderia responder a um pedido de oração por graça, dando-lhe um presente menor que ele mesmo. Ele é um bom Pai, que não dá rochas e cobras a seus filhos, mas o pão para sustentar suas vidas e torná-los felizes.

DEUS NÃO DÁ CHUPETAS AOS SEUS FILHOS

Também não é costume de Deus dar chupetas aos seus filhos para mantê-los quietos, a fim de que eles se esqueçam de que precisam dele e, em seguida, deixem-no sozinho.

Infelizmente, algumas vezes, quando oramos, achamos que Deus deve nos dar a chupeta que pedimos. Sabemos que a coisa que estamos pedindo é inferior a Deus, porém ainda a queremos porque ela vai nos fazer felizes por um tempo.

A chupeta que costumo buscar é paz e tranquilidade. Quando digo "paz e tranquilidade", quero dizer que desejo que meus filhos durmam até tarde para que eu possa ter um tempo só para mim. Até mesmo oro para que meus filhos durmam até mais tarde para que eu possa atrasar o momento no qual tenho que atender às suas necessidades. O primeiro "pio" que ouço de um deles, geralmente, coincide com um gemido dentro de mim: "É muito cedo para começar o dia de hoje! Tudo o que quero é um pouco de paz e tranquilidade".

Esqueço-me muito facilmente de que Deus é o único que tranquiliza a minha alma. Quando a minha alma se tranquiliza dentro de mim, não importam os ruídos ao meu redor. Eu também facilmente esqueço-me de que Deus é a minha paz. Quando ele é a minha paz, então foguetes poderiam se lançar em torno da minha casa, a saúde do meu marido poderia piorar drasticamente e eu poderia não ter um único momento sozinha, e ainda assim estar em paz.

Ah, quantas vezes pedi por chupetas! Essas orações por elas normalmente começam assim: "Senhor, se fosse possível só

_____ por mim, então tudo ficaria bem". Tenho uma ideia do que quero ou preciso e peço a Deus para que ele atenda ao meu pedido — em meu nome. Orações como essa tipicamente envolvem conforto e nunca envolvem pedidos relacionados à minha santificação ou à glória de Deus. Bryan Chappell, em seu excelente *Praying Backwards* (meu livro favorito sobre oração), diz que deveríamos sempre orar em nome de Jesus, ou seja, tendo em mente as intenções dele de glorificar o Pai.[2] Ah, como minha vida de orações mudaria se eu as começasse pedindo: "Em nome de Jesus, Pai, o senhor poderia _____ ?".

Louvado seja Deus pelo fato de Jesus ser o supremo profeta, que nos liberta da ilusão de nossa própria sabedoria. Ele é o nosso Sumo Sacerdote, que se sacrificou pela expiação dos nossos pecados. Jesus é nosso Rei, que liberta prisioneiros das correntes do pecado e da autogovernança. Deus, em sua graça, nem sempre nos resgata de situações difíceis ou dolorosas. Deus está nos redimindo, enquanto estamos no meio deste mundo despedaçado. Ele está nos livrando de algo muito mais perigoso e doloroso para as nossas almas — está nos salvando do nosso pecado.

Dar a seus filhos, os quais ele ama, uma solução temporária e insuficiente seria algo contrário ao desejo de Deus de satisfazer nossas almas por toda a eternidade.

> Tu me farás ver os caminhos da vida;
> na tua presença há plenitude de alegria,
> na tua destra, delícias perpetuamente.
> (Salmos 16.11)

Ah! Todos vós, os que tendes sede,

vinde às águas;

e vós, os que não tendes dinheiro,

vinde, comprai e comei;

sim, vinde e comprai,

sem dinheiro e sem preço, vinho e leite.

Por que gastais o dinheiro naquilo que não é pão,

e o vosso suor, naquilo que não satisfaz?

Ouvi-me atentamente, comei o que é bom

e vos deleitareis com finos manjares.

Inclinai os ouvidos e vinde a mim;

ouvi, e a vossa alma viverá;

porque convosco farei uma aliança perpétua,

que consiste nas fiéis misericórdias prometidas a Davi.

(Isaías 55.1-3)

Regozijar-me-ei muito no Senhor,

a minha alma se alegra no meu Deus;

porque me cobriu de vestes de salvação

e me envolveu com o manto de justiça,

como noivo que se adorna de turbante,

como noiva que se enfeita com as suas joias.

(Isaías 61.10)

Porque satisfiz à alma cansada, e saciei a toda alma desfalecida.

(Jeremias 31.25)

Ainda que a minha carne e o meu coração desfaleçam,

Deus é a fortaleza do meu coração e a minha herança para

sempre.

(Salmos 73.26)

AS CHUPETAS DE PRATA DE UM HOMEM

Quando lamentamos sobre nossas circunstâncias difíceis aqui na Terra, o evangelho nos conforta, lembrando-nos de que Jesus foi adiante de nós, para nos preparar um lugar na casa de seu Pai. Quando somos tentadas a nos deleitar com nossas situações favoráveis, ou com a medicina moderna, ou com pessoas que fazem promessas que não podem cumprir, ou com o dinheiro que nos promete segurança, o evangelho nos torna mais humildes por meio do lembrete de que a misericórdia do Senhor é *melhor que a vida*.

Há uma história no livro de Juízes sobre um homem que acreditava em Deus, mas amava suas chupetas mais do que ao Senhor. Mica não estava contente em somente adorar a Deus, então fez alguns ídolos de prata para manter em torno de sua casa. Nenhum problema em manter algumas chupetas ao redor para lhe fazer feliz, certo? Mica rapidamente percebeu que ainda se sentia distante de Deus. É como se ele tivesse uma coceira para coçar, mas os ídolos que fez não conseguissem alcançá-la. Mica pensou que o que precisava para fechar a lacuna entre ele e Deus era o seu próprio sacerdote. Pagar por um sacerdote pessoal não estava de acordo com a maneira que Deus havia prescrito para seus filhos lhe adorarem. No entanto, Mica conseguiu recrutar um levita para ser o sacerdote pessoal de sua família e disse: "Sei, agora, que o Senhor me fará bem, porquanto tenho um levita por sacerdote." (Juízes 17.13).

Mica estava feliz com os ídolos que ele havia feito e com o sacerdote que havia contratado. Mas logo problemas vieram sobre a casa de Mica, quando alguns membros da tribo de Dã, passando pela região, ouviram falar sobre as chupetas de Mica. Os danitas queriam esses ídolos para eles, então saquearam a casa de Mica, roubaram os ídolos de prata e convenceram o levita a ser seu sacerdote, e não mais o de Mica.

É claro que Mica ficou devastado quando descobriu o que havia acontecido. Reuniu alguns amigos e vizinhos, e perseguiram os danitas. Quando Mica e companhia confrontaram os danitas, fizeram tamanha cena que os ladrões disseram: "Que tens, que convocaste esse povo?" (Juízes 18.23).

A resposta de Mica revela o estado sombrio de sua alma: "Os deuses que eu fiz me tomastes e também o sacerdote e vos fostes; que mais me resta? Como, pois, me perguntais: 'Que é o que tens?'" (Juízes 18.24).

Que mais me resta? Você já disse isso antes? Eu sei que eu já disse.

Não somos muito diferentes de Mica. Quando as circunstâncias são difíceis, quando nosso cotidiano é doloroso e quando não valorizamos a paz que temos com Deus, nos parecemos com Mica. "Como, pois, me perguntais: 'Que é o que tens?'", protestamos. "Você tomou tudo o que eu preciso para ser feliz e me deixou com nada. *Nada!*".

Quando Deus, de forma misericordiosa, nos despoja dos nossos ídolos, ele tem em mente nos dar algo melhor— ele mesmo.

Em meio ao dia a dia doloroso, pela graça de Deus nós podemos reiterar os dizeres do salmista: "Digo ao Senhor: Tu és o meu Senhor; outro bem não possuo, senão a ti somente" (Salmos 16.2). O clamor de nosso coração muda de "que mais me resta?" para "Quem mais tenho eu no céu? Não há outro em quem eu me compraza na terra. Ainda que a minha carne e o meu coração desfaleçam, Deus é a fortaleza do meu coração e a minha herança para sempre" (Salmos 73.25-26).

Sei que pode parecer muito incerto apostar sua alegria não em suas circunstâncias ou mesmo nos presentes que Deus lhe deu, mas na pessoa do próprio Deus. Sei que é difícil. É por isso que precisamos de fé para fazê-lo. Precisamos de fé para confiar que Deus não somente sabe "o que é melhor para nós", mas que ele *é* o que é melhor para nós, independente de quais sejam as nossas circunstâncias.

"Respondeu-lhes Jesus: A obra de Deus é esta: que creiais naquele que por ele foi enviado" (João 6.29). Quando confiamos em Jesus para nos fornecer tudo aquilo de que precisamos para a vida e para a santidade, podemos confessar com lágrimas de alegre alívio: "Porque dele, e por meio dele, e para ele são todas as coisas. A ele, pois, a glória eternamente. Amém" (Romanos 11.36).

Capítulo 10

UNIDA COM CRISTO, MAS PRECISANDO DE AMIGOS

Enquanto escrevo este capítulo, minhas meninas estão passando por uma fase intensa, na qual elas mal conseguem fazer qualquer coisa sem incomodar uma à outra. Não há um único brinquedo ou peça de roupa em seu quarto sobre os quais não possam começar uma discussão.

Às vezes suas brigas me fazem querer simplesmente jogar todos os seus brinquedos em um saco de lixo e deixá-los à beira da estrada para crianças carentes, que não brigarão por causa deles. Os brinquedos e as roupas, contudo, não são o problema.

As *Olimpíadas do Aborrecimento* também se estendem para dentro do carro. "Por que eu tenho que sentar na parte de trás?"; "Ela está chutando meu banco"; "Solta o meu cinto primeiro, não o dela";

"Não, é a minha vez de subir pelo lado do papai". Mas o carro também não é o problema.

Os jogos continuam na arena pública. Este é o lugar onde a intensidade da sua chateação realmente atinge o seu ápice. Dezenas de espectadores inocentes podem ser sugados para o mundo fantástico dos jogos de poder ao estilo pré-escolar quando discutem em público.

Às vezes me imagino com um amplificador e um microfone para informar os transeuntes: "Olá! Bem-vindo à nossa demonstração de depravação humana. Pelo quê elas estão brigando, você pergunta? Bem, deixe-me explicar. O argumento destaque das 9h00 às 09h06 é um desentendimento insignificante sobre protetor labial. De qual delas o protetor labial é mais brilhante? De quem é o rosa? E o roxo, de quem é? Aproximem-se e testemunhem a validação da nossa família na doutrina do pecado original. Fiquem por mais alguns minutos para assistirem a uma briga a respeito de quem é a vez de que – você escolhe o nome!"

QUANDO É A MINHA VEZ?

Meu sentimento predominante é de desânimo, às vezes, vergonha e, na maioria das vezes, solidão. "Eu sou a única pessoa no mundo que se sente abatida", digo a mim mesma. Bobo, não é? É uma disciplina para me lembrar de que não estou sozinha. De vez em quando, telefono ou mando e-mails para minha mãe, lamentando nossas experiências compartilhadas em conter brigas de irmãs, como essas. Minha mãe criou três mocinhas com as mesmas diferenças de idade dos meus filhos. Na semana passada, escrevi para minha mãe em um e-mail:

Mãe, as meninas estão brigando por uma única boneca quando há uma dúzia delas espalhadas aos seus pés. Eu sinto MUITO por toda a tristeza que nós lhe causamos quando éramos pequenas pestes (e grandes pestes)! Uau! Você tem a paciência e tolerância de um... de um, bem, eu não sei quem ou o que é mais paciente do que Deus. Então, obrigada por ser paciente como Deus. Eu te amo tanto!

Minha mãe me diz para aguentar. Ela me encoraja com uma franqueza deste tipo: "Você e suas irmãs foram exatamente desse jeito por anos!". *Anos*! Minhas garotas têm três e quase cinco anos de idade neste momento. Preciso da graça de Deus e de alguma coisa assada com manteiga de amendoim e chocolate.

Sentimentos de solidão também ameaçam esmagar você? Não é de se admirar que seja fácil se sentir isolada quando você está atravessando águas profundas como essas. Quando você cuida de um lar — com ou sem filhos — nunca há um momento de tédio, porém a solidão ainda pode se depositar em seu coração, como a poeira se deposita mesmo após varrermos minuciosamente a casa.

"Quando é a minha vez?" é uma pergunta que fazemos durante toda a nossa vida. O assunto muda à medida que envelhecemos, mas a questão permanece a mesma. Queremos saber quando é a nossa vez de conseguir o que queremos. "E quanto a mim?" é a pergunta principal que fazemos em nossa batalha pelo contentamento.

No momento em que sua vida é tomada pela rotina, às vezes, você se sente como se nunca fosse a sua vez de ter uma vida social significativa. Entendo isso perfeitamente. Toda semana tenho que deixar passar oportunidades sociais por causa das circunstâncias da minha vida. Sou tão propensa a me sentir desestimulada por isso. Se não estiver vigilante em manter minha atitude sob controle, o desânimo dá lugar à pretensão, gerando amargura no meu coração.

Nós, donas de casa, precisamos ter uma perspectiva sobre nossos relacionamentos centrada no evangelho, especialmente se somos propensas à solidão e ao descontentamento que eventualmente flui do fato de nos sentirmos isoladas.

LIVRES PARA SERMOS
AS AMIGAS QUE QUISERMOS

Quando estava no ensino médio, o programa de TV americano *Friends* lançou seu episódio piloto. Seis amigos vivendo a vida juntos — parecia tão perfeito. Eu me lembro de pensar que não podia esperar para ser uma adulta de verdade e ter amigos incríveis exatamente como aqueles. Até seus conflitos eram perfeitos!

Tantas de nós, donas de casa, lamentamos sobre nossas amizades. Somos pessoas reais vivendo vidas reais e queremos amigos reais. Embora possamos ter conhecidas com quem falamos ao longo do nosso dia, na igreja, ao tratarmos de nossos negócios pela cidade, essas relações podem ser, em sua maior parte, superficiais e circunstanciais. Ainda nos sentimos solitárias, embora tenhamos amigos e fiquemos conectadas a eles através de mídias sociais.

Desejamos sinceramente investir em amizades nas quais possamos praticar o "uns aos outros" das Escrituras, bem como suportar uns aos outros em amor (Efésios 4.2) e consolar uns aos outros (2 Coríntios 13.11). Mas como podemos realizar algo como, "levai as cargas uns dos outros e, assim, cumprireis a lei de Cristo" (Gálatas 6.2), se não possuímos amizades íntimas?

O essencial para ter bons amigos é ser uma boa amiga para os outros. Então, quais são os obstáculos para ser uma boa amiga?

Muitos fatores dificultam a nossa capacidade de sermos boas amigas. A primeira razão que me vem à mente é que somos naturalmente egoístas. Sofremos por preocupações delirantes sobre coisas como protetores labiais brilhantes e a respeito de quem é a vez de se casar, ter filhos, comprar uma casa, se deslumbrar com tal casa e ter a vida maravilhosa que sempre sonhou. Nosso pecado é um obstáculo para as amizades. O egoísmo, o orgulho, a apatia e a inveja são muros que nos separam de amizades significativas.

Para além da natureza pecaminosa que todas nós compartilhamos, pode estar a verdadeira falta de tempo que é necessária às amizades. Podemos ter prioridades equivocadas e outras circunstâncias que complicam a vida. Não sei você, mas eu poderia escrever meu próprio nome ao lado de todas essas razões e desculpas, dizendo que elas são minhas. A primeira pessoa em quem penso pela manhã sou eu. Sigo com meu dia, focada em preservar a minha dignidade. Priorizo meu dia e minha noite de acordo com o que acho que eu preciso. E vou para a cama à noite, imaginando como fazer o amanhã ser todo sobre mim.

Ao adicionar a reivindicação "é a minha vez" à mistura, ela funciona como um fermento, multiplicando, e os ingredientes crescendo junto, formando um pão de amargura. Quanto mais desculpas invento para a minha falta de esforço em trabalhar nas amizades, mais cheia de direitos me sinto. A massa transborda do tabuleiro e derrama sobre o componente de aquecimento na parte inferior do forno, queimando e enchendo a cozinha de fumaça. É assim que nossa natureza pecaminosa funciona.

Contudo o evangelho de Jesus Cristo diz que, mesmo apesar do nosso pecado e dos nossos problemas, podemos ter liberdade para sermos amigas verdadeiras para os outros. Considere Gálatas 5.13-15:

> Porque vós, irmãos, fostes chamados à liberdade; porém não useis da liberdade para dar ocasião à carne; sede, antes, servos uns dos outros, pelo amor. Porque toda a lei se cumpre em um só preceito, a saber: Amarás o teu próximo como a ti mesmo. Se vós, porém, vos mordeis e devorais uns aos outros, vede que não sejais mutuamente destruídos.

Essa é uma exortação para se viver na liberdade do evangelho, uma instrução para usar essa liberdade para o bem e não para o mal, e uma advertência sobre as consequências das más escolhas.

Ter liberdade em Cristo significa que podemos ser livres do pecado que surge entre amigos. Amigos que se afastaram podem ser unidos em Cristo. Amigos que estão distantes podem ser trazidos para perto um do outro como são trazidos para perto de Deus pelo sangue de Cristo. Amigos que são diferentes podem estabelecer uma ligação entre si a partir de sua fé na vida, morte e ressurreição de Jesus.

SUA VEZ DE DEIXAR A GRAÇA MODIFICÁ-LA

Lutei com esse mesmo problema contínuo em minhas amizades desde que tinha dois anos de idade. "Ela me bateu primeiro" é a minha desculpa mais comum para não buscar amizades com outras mulheres. Por exemplo, se uma amiga me ofende — com ou sem a intenção de fazê-lo — me torno menos disposta a me abrir com ela no futuro. O que estou aberta a fazer, ao contrário, é manipular interações futuras com ela para que eu me sinta no controle da amizade. Intencionalmente evito falar sobre mim mesma e deixar essa amiga me conhecer; até mesmo questões intencionais estão inseridas em minhas perguntas, para encobrir minha falta de compartilhamento. Esse não é o caminho do amor que a Bíblia fala.

A segurança que temos em Cristo, que é iniciada, promovida e preservada pela graça, muda o modo como nos relacionamos uns com os outros, *primeiramente, ao nos mudar*. À medida que o fruto do Espírito Santo cresce em nossas vidas, não estamos mais numa colheita de relações marcadas pelo interesse próprio, pela manipulação e pelos jogos de poder.

O poder libertador do evangelho nos permite alcançar a vida uns dos outros e fazer perguntas boas e profundas. E não como um disfarce para nossa falta de autorrevelação! Podemos fazer essas perguntas, pois somos livres para pensarmos nos outros antes de pensarmos em nós mesmas. Não temos que ter medo das respostas que ouvimos, porque confiamos no Deus que ressuscita os mortos e sempre termina o bom trabalho que começou.

Podemos confessar nossos pecados uns aos outros, visto que, em Cristo, somos perdoadas e nos tornamos capazes de perdoar os outros. Podemos suportar os fardos uns dos outros e ajudar a aliviar as situações difíceis um do outro, porque estamos preocupadas com a alma do nosso próximo.

Podemos manter a "loucura" uns dos outros sob controle, pois nossa esperança está na graça futura de Deus, em que Cristo está voltando e quer que nos apeguemos à esperança que temos nele até o fim. Juntos, podemos dar os braços e *sermos* um pelo outro, ao invés de competirmos, pois todos nós estamos em busca da recompensa. Ele nos mostra graça e bondade "para mostrar, nos séculos vindouros, a suprema riqueza da sua graça, em bondade para conosco, em Cristo Jesus" (Efésios 2.7).

Provei da graça vitoriosa de Deus sobre o meu egoísmo. Como desejo ser livre dos laços do mérito e da manipulação egocêntrica! Que festa da graça seria se todas nós acreditássemos que é "a nossa vez" de permitir que a graça de Deus nos mude.

Se Cristo habita em nossos corações pela fé, então podemos nos arraigar e nos alicerçar em seu amor. Por sua graça, podemos ter a força necessária para compreender a magnitude do seu amor por nós que excede o entendimento para que sejamos tomadas por toda a plenitude de Deus (Efésios 3.17-19). Pelo fato de Jesus ter nos amado primeiro, é sempre nossa vez de desfrutarmos de seu amor e amarmos o próximo.

E SE?

Muitas desculpas e razões para não investirmos em amizades profundas vêm com um "e se" de medo. Esses "e se" podem ser debilitantes.

Como esposa de pastor, mãe de crianças pequenas e membro de uma igreja expatriada, consigo entender bem como as circunstâncias podem fazer com que as amizades sejam difíceis de ser mantidas. A relutância para começar a dar passos em direção à construção de relacionamentos pode ser motivada por sentimentos fúteis. Como posso encontrar tempo para investir em amizades quando estou tão ocupada em casa? E se eu fizer todas essas coisas para fazer as amizades funcionarem, e o meu esforço não for correspondido ou apreciado? E se eu investir tanto de mim mesma em alguém, e ela se mudar para outro país dentro de um ano? Devo, responsavelmente, iniciar novas amizades quando poderia não ter tempo? E se for estranho tentar ter uma conversa sobre algo que vá além dos típicos: "O que você colocou nesta sopa?" e "Você ouviu que tal e tal loja estão fazendo uma liquidação?".

E se você fizer um esforço enorme para reorganizar sua agenda a fim de passar um tempo com uma amiga, e ela não tiver a delicadeza de ligar quando não puder se encontrar com você? E se você priorizar as relações ao ponto de negligenciar seus deveres domésticos, e os outros não fizerem o mesmo por você? E se você exceder quaisquer limites para, em sua comunidade, viver o mandamento do "uns aos outros" da Escritura, ainda que se sinta como se ninguém estivesse cuidando de você?

A maior pergunta que deveríamos nos fazer não se trata de todos esses "e se". O que precisamos nos perguntar é: Estou disposta a acolher outras pessoas em minha vida, assim como Jesus me acolheu na dele?

Se essas perguntas "e se" já direcionaram suas escolhas no que diz respeito a relacionamentos, a bênção em Romanos 15.5-7 é tão fortalecedora quanto instrutiva: "Ora, o Deus da paciência e da consolação vos conceda o mesmo sentir de uns para com os outros, segundo Cristo Jesus, para que concordemente e a uma voz glorifiqueis ao Deus e Pai de nosso Senhor Jesus Cristo. Portanto, acolhei-vos uns aos outros, como também Cristo nos acolheu para a glória de Deus".

O modo como Cristo nos acolheu está relacionado com sua vida e morte sacrificiais a serviço de pessoas que não o fariam nem poderiam ter um ato de reciprocidade para com sua generosidade. Agora, pela energia de Cristo que atua tão poderosamente em nós (Colossenses 1.29), podemos acolher os outros.

TRANSFORMANDO CONSTRUTORAS DE MUROS EM CONSTRUTORAS DE PONTES

Como será que se acolhe pessoas, *na prática*, como Jesus o fez?

Fico tentada a dar a você uma lista de sugestões práticas, bem como organizar sua agenda ou iniciar relacionamentos de discipulado nos quais donas de casa simplesmente "vivem juntas". Amo passos práticos, porque eles proporcionam boas listas de afazeres, e posso escrevê-las no meu quadro branco da cozinha, programar lembretes no meu celular e riscá-los da lista quando os fizer. O apêndice deste livro poderia até mesmo incluir um modelo que reproduzisse uma lista de dez passos de como ser uma boa amiga, de forma que pudesse garantir os resultados dos seus esforços.

Claro, existem ajustes práticos que você deve fazer em sua rotina diária para ter tempo para amizades. Por exemplo, se você pendurar placas em seu portão, dizendo "proibido amigos" ou "cuidado: dona de casa solitária cuidando da ninhada", você poderá ter dificuldade em encontrar pessoas que estejam dispostas a fazer amizade com você.

Em termos práticos, há muros que precisam ser derrubados ou pelo menos portas a serem esculpidas neles, por meio de ajustes de estilo de vida e adaptações. Contudo apenas fazer um buraco no muro não o derruba ou previne que outro seja construído em seu lugar.

Não entenda mal: renovar os muros em nossas vidas não é errado; é apenas insuficiente, pois não contempla a questão do coração em sua essência. Gosto do modo que o conselheiro bíblico Deepak Raju fala: "Abordar as circunstâncias sem abordar o coração é como oferecer um copo de água a um homem que está em chamas. Não é errado, é apenas insuficiente."[1].

Se uma dona de casa construiu muros em torno de si mesma, obstruindo amizades genuínas, ela deve fazer alguns buracos nestes muros para servirem de janelas, para que outros possam ver o lado de dentro, e para que ela veja o lado de fora. Em seguida, deve estar disposta a abandonar as placas, pregos e martelos que usa para construir mais muros. E, ao invés disso, então, ela deve construir pontes.

Mas por que uma construtora de muros iria querer construir pontes? Tomando emprestado uma frase do teólogo e matemático escocês Thomas Chalmers, apenas o "poder expulsivo de uma nova afeição" pode transformar uma construtora de muros em uma construtora de pontes. A nova afeição que substitui nosso desejo de permanecermos auto-orientadas é a glória de Deus como vista no evangelho.

AMOR, O FRUTO DA CONFISSÃO, O FRUTO DA ADORAÇÃO

Utilizarei meu pecado mais potente em repelir amigos como um exemplo. Digamos que eu tente usar meu psicológico de modo a ser menos orgulhosa e mais amistosa. Em primeiro lugar, quero identificar o que há em mim que me impede de fazer amigos. Por meio de uma introspecção pensativa, percebo que sou orgulhosa. Declaro: "Olá, meu nome é Deus. Digo... desculpe. Veja, isto é parte do problema. Eu não sou Deus; meu nome é Glória. Eu sou uma pessoa orgulhosa. Eu me acho muito boa e acho que os outros deveriam pensar que eu sou muito boa também". Aí está, admiti meu problema. Minha confissão verbal o consertou, certo?

Errado. Até a mudança acontecer em meu coração, apenas dizer que sou orgulhosa não gera nenhum fruto duradouro em minha vida. Distintamente, a confissão cristã lida com o pecado de forma a envolver arrependimento genuíno. Sentimos arrependimento, em especial, pela forma como isso nos separa de Deus, o qual deve ser a nossa alegria.

Ser capaz de citar nossas afeições idólatras, identificar nossos pecados e assumir a responsabilidade por eles é fundamental para o nosso arrependimento e obediência fiel ao evangelho. Se você não tiver certeza de quais poderiam ser suas afeições idólatras, ou se estiver perdida sobre como você tem sido pecaminosa, basta perguntar ao seu cônjuge ou aos seus amigos. Eles podem hesitar, num primeiro momento, em lhe dizer, mas não é porque eles têm dúvidas de que você é uma pecadora. Eles estão tentando imaginar como lhe dizer isso.

Sou tão grata por ter amigos que vão direto ao ponto nessa área. Eles estão mais preocupados com Deus sendo honrado em minha vida do que comigo me sentindo feliz com eles. Obviamente, às vezes, conversas sobre nossos pecados podem ser incômodas. O que nos mantém juntos como amigos é o entendimento mútuo de que o que é mais incômodo do que conversas sobre o pecado é fingir que ele não existe.

Se eu achar que não posso suportar a ideia de confessar meus pecados para o meu marido ou uma amiga de confiança, então há um entendimento errado a respeito de quem eu sou, quem Deus é e sobre o que Cristo realizou na cruz.

O ARREPENDIMENTO MUDA TUDO

Eu me pergunto se alguém surgiu em sua mente quando você leu sobre amigos confessando seus pecados uns aos outros. Talvez você tenha pensado em uma querida amiga a quem você é grata por poder falar sobre os seus pecados. Ou talvez você tenha pensado em alguém que nunca confessaria seus pecados com você. Ou você nunca confessaria os seus com ela.

Uma vida que é caracterizada por arrependimento muda uma pessoa. Quando sua vida é marcada pelo arrependimento contínuo acerca do pecado e pelo fato de você se agarrar à graça de

Jesus Cristo, tal ato faz com que outras pessoas queiram fazer a mesma coisa. Elas querem trazer seu fardo a você, para que você o compartilhe com elas e as aponte para a cruz.

Livre do poder escravizador do pecado, o amor de Cristo nasce em nós e nos energiza poderosamente para amar os outros como ele nos amou (João 13.34). "Nisto consiste o amor: não em que nós tenhamos amado a Deus, mas em que ele nos amou e enviou o seu Filho como propiciação pelos nossos pecados. Amados, se Deus de tal maneira nos amou, devemos nós também amar uns aos outros" (1 João 4.10-11). Milton Vincent resumiu essas passagens desta forma: "Então, como posso vir a amar a Deus com todo o meu ser? A Bíblia ensina que o amor verdadeiro do meu coração por Deus é gerado por uma consciência de seu amor por mim, e em nenhum lugar o amor de Deus é mais claramente revelado do que no evangelho"[2].

Com a ajuda e o encorajamento de outros cristãos, reconhecemos novamente a nossa necessidade pela graça mostrada a nós na cruz, e nos arrependemos do nosso pecado. O fruto do arrependimento é doce, e não somos as únicas que podemos apreciá-lo. Conforme o poder expulsivo de uma renovada afeição por Cristo nos enche mais e mais, seu amor se derrama sobre nossas relações com os outros. As *nações* podem ver a glória de Deus revelada em nosso amor ao próximo!

E DAÍ?

Talvez você esteja dizendo a si mesma: "Eu compreendo isso. Entendo completamente. Mas o que isso tem a ver com minha solidão e minha necessidade de amizades?".

Pessoas que já estiveram afastadas de um amigo ou de um cônjuge entendem que o abismo entre os envolvidos parece intransponível e que a tensão é palpável. Agarrar-se ao amor de Deus no evangelho é, também, o único modo pelo qual podemos suportar a dor pungente das profundas feridas na alma que podem ocorrer no contexto das amizades entre pecadores deste lado do Paraíso. Somente pessoas que provaram e conhecem a graça de Deus em Cristo são capazes de enfrentar essa dor e sair dessa experiência louvando a Deus.

Romanos 12.9-10 diz: "O amor seja sem hipocrisia. Detestai o mal, apegando-vos ao bem. Amai-vos cordialmente uns aos outros com amor fraternal, preferindo-vos em honra uns aos outros".

Mas, graças a Deus, o amor divino cobre uma multidão de pecados e nos motiva a amar uns aos outros sinceramente! Deus não vai lançar meu pecado em meu rosto como uma barreira para o meu relacionamento comprado pelo sangue como sua filha. "Canta, ó filha de Sião; rejubila, ó Israel; regozija-te e, de todo o coração, exulta, ó filha de Jerusalém. O Senhor afastou as sentenças que eram contra ti e lançou fora o teu inimigo. O Rei de Israel, o Senhor, está no meio de ti; tu já não verás mal algum" (Sofonias 3.14-15).

Nossa solidão pode ser ajudada pela graça de Deus, conforme fixamos nossos olhos em Jesus. Ele nos liberta de coisas como a busca por comparação e de todas as fofocas permeadas de julgamento que a acompanham. Jesus nos liberta para *amar* como fomos amadas por Deus. Ansiosas para compartilharmos o amor de Deus com os outros, fazemos os sacrifícios que precisamos

fazer, a fim de organizar nossa agenda para acomodar relacionamentos. Ao caminharmos através do dia, o Espírito Santo nos
ajuda a ver os vislumbres da graça em nossas vidas e nas vidas de
outros.

Isso nos traz alegria, e os nossos sentimentos de busca por títulos
desaparecem como a lua desaparece pela manhã. Quando pecamos
contra nossos amigos e o Espírito traz isso à luz, escolhemos aproveitar essa luz. Em vez de nos enterrarmos em um armário de vergonha,
caminhamos para a luz da graça na cruz e nos arrependemos. Pela
graça de Deus, os relacionamentos são restaurados e fortalecidos.

Sim, de fato, o evangelho é inegavelmente relevante para nossa
solidão em relação às amizades.

Capítulo II

TESOURO EM VASOS DE BARRO, NÃO EM PORCELANA CHINESA

Em nome da simplicidade, comprei um conjunto de pratos de porcelana branca quando nos mudamos para nossa casa atual. Eles, provavelmente, não iriam se chocar com as decorações para qualquer ocasião especial, e tenho consciência da minha incapacidade em combinar coisas, desde de pratos até roupas e acessórios. Percebi que aqueles simples pratos poderiam passar como elegantes, mesmo que tenham sido adquiridos para fins utilitários.

SANDUÍCHES DE MANTEIGA DE AMENDOIM EM PRATO DE CRISTAL

Junto com o conjunto de pratos, também comprei um prato para bolos com pedestal de cristal que só retiro do armário para bolos.

Esse prato é especial; o mantenho em sua caixa original, recheada com papel amassado e papelão para mantê-lo seguro. Esse prato é único; só faz uma aparição por mês, ao passo que os pratos comuns são usados em uma base contínua. Pratos desaparecem com frequência de nossa cozinha e são devolvidos mais tarde, e eu não me importo. Posso usar um prato diferente em seu lugar, mas há apenas um precioso prato para bolo.

Até as crianças sabem que ele é especial. Um dia, no almoço, quando sugeri que salpicássemos nossos sanduíches de manteiga de amendoim com granulado rosa e os colocássemos no suporte para bolo, seus olhos se arregalaram e elas gritaram de alegria. Você simplesmente não come sanduíches em um prato de cristal, especialmente com crianças desastradas!

Devo admitir que foi necessária uma certa dose de coragem para sugerir que comêssemos o nosso almoço diretamente em uma peça chique de cristal. Meus filhos ainda estão naquela fase da vida em que utilizam utensílios de plástico e mal podem receber copos que não tenham tampa!

Enquanto curtia o encantamento das minhas garotas se deliciando com sanduíches cobertos de confeito rosa, também estava bem ciente do meu nervosismo sobre a situação. Então, minha filha de dois anos de idade esbarrou na tampa de cristal, empurrando-a a alguns centímetros de distância, e ouvi o arranhão do vidro sobre a bancada. Aiai. Certamente, se tivesse cancelado nossos planos de almoço chique, haveria um protesto envolvendo lágrimas e soluços. Felizmente nosso almoço ocorreu sem incidentes, mas não tentei nada mais audacioso como isso desde então!

Minha reserva em compartilhar meu prato de cristal está em forte contraste com a atitude de Deus em relação a seus filhos, ao levarem o evangelho até os confins da Terra. O evangelho que dá vida é glorioso, precioso e poderoso, e somos frágeis vasos de barro. Não é por acaso que Deus escolheu nos confiar tal tesouro.

> Porque não nos pregamos a nós mesmos, mas a Cristo Jesus como Senhor e a nós mesmos como vossos servos, por amor de Jesus. Porque Deus, que disse: Das trevas resplandecerá a luz, ele mesmo resplandeceu em nosso coração, para iluminação do conhecimento da glória de Deus, na face de Cristo. Temos, porém, este tesouro em vasos de barro, para que a excelência do poder seja de Deus e não de nós.
> (2 Coríntios 4.5-7)

O poder do evangelho pertence a Deus e não a nós. Quando Deus nos confia o evangelho, isso torna seu poder ainda mais evidente. Deus se deleita em glorificar a si mesmo usando vasos de barro, para mostrar que o inigualável poder do evangelho é dele, e só dele.

No entanto, às vezes, gostaríamos que fosse o contrário. Não gostamos de ser fracas. Preferiríamos ser fortes. Negamos nossas fraquezas e fracassos e os cobrimos com fingimento e desculpas.

Para muitas de nós, donas de casa, nosso maior medo é que achem que somos incompetentes, insuficientes e ineficazes. Preferimos parecer como se tivéssemos tudo sob controle. Apoiamos a ideia de que ninguém é perfeito, porém preferimos morrer tentando provar que somos a exceção à regra.

Uma maneira de saber se você luta contra isso é ouvindo o que o seu coração tem a dizer na próxima vez que escutar a campainha tocar. *Din don.* Pode ser que seu coração entre em pânico como o meu: "Oh! Minha amiga chegou. Tem uma fralda suja na mesa do café. Rápido! Jogue-a fora. Eca! Eu estou vestindo uma camiseta e um moletom. Rápido! Vista algo que as pessoas usam quando estão tentando fingir ser adultas".

Neste capítulo, vamos nos aprofundar nas questões de autenticidade, fragilidade e no zelo de Deus em mostrar seu poder através de pessoas redimidas que tem uma relação de amor e ódio com o próprio pecado.

NÓS PREFERIRÍAMOS SER ADORADAS

Deus, com alegria, coloca o tesouro do evangelho em nossas mãos desajeitadas e desastradas, apesar de nossa pecaminosidade, nossas insuficiências e falhas. Contudo, às vezes, não acreditamos nisso. Duas razões principais vêm à minha mente.

Em primeiro lugar, é contrário à nossa lógica natural que Deus escolheria usar o tolo e o fraco para mostrar a si mesmo como sábio. Temos dificuldade em ver como Deus é louvado por meio de nossas insuficiências.

Será que o Senhor não seria mais glorificado por meio de um evento de hospitalidade perfeitamente planejado e executado? Não seria o nome do Senhor mais honrado se soubéssemos como articular sua bondade com clareza entusiasta? Não louvaria mais ao nosso Pai celestial, quando seus filhos parecessem apresentáveis e não tivessem quaisquer manchas desagradáveis? Não seria o Criador ainda mais louvado se os resgatados fossem admirados em todo o mundo e exaltados como espécimes espetaculares da humanidade?

Achamos difícil compreender como Deus escolhe usar o fraco e o sofredor para mostrar que ele mesmo é forte e suficiente.

Em segundo lugar, nos sentimos desconfortáveis com nossas fraquezas e falhas. Preferiríamos muito mais apresentar eventos de hospitalidade perfeitamente planejados e executados. Preferiríamos nos articular com clareza. Trabalhamos tão duro para parecermos apresentáveis e adiarmos os efeitos do envelhecimento. Queremos ser admiradas.

Nossas preferências se resumem a isto: *nós* somos aquelas que querem ser admiradas. Queremos viver para nossa própria glória. Somos pecaminosas, egocêntricas e relutantes em adorar a Deus como nosso criador, que tem o direito de fazer conosco o que bem entender.

Quando estamos relutantes em exaltar a Deus e reconhecer sua posição de autoridade em nossas vidas, ficamos ressentidas com seu desejo de nos usar em nossos estados frágeis e pecaminosos.

A MÁ NOTÍCIA EM QUE EU ACREDITAVA

Esta postura de rebelião contra Deus, nosso criador, dá espaço para falsos evangelhos. Na verdade, é um equívoco chamar algo de "falso evangelho", pois evangelho significa "boas-novas". Um falso evangelho não é, de maneira alguma, o evangelho — é uma má notícia.

Um exemplo de má notícia que circula lá fora, no mundo, e na qual estou particularmente tentada a acreditar, é que Deus é obrigado a lhe dar a vida que você quer se você acreditar nele. E, inversamente, se você tem a vida que quer, então é um sinal de que Deus aprova você.

Falei no capítulo anterior sobre como meu marido tem lidado com a dor crônica em suas mãos e braços durante metade do nosso casamento e pela vida inteira de nossos filhos. Não consigo contar o número de noites em que acordei para alimentar um dos nossos bebês e encontrei meu marido andando de um lado para o outro, no escuro, em agonia — a agonia de uma dor pungente nos nervos e do estresse emocional. Vendo-o sofrer, perguntava a Deus: "Por que, Senhor?". Às vezes, eu até mesmo fazia uma lista mental de todas as razões terrenas pelas quais Dave não deveria ter que sofrer assim: ele é tão jovem, tem toda a sua vida pela frente, quer servir a Jesus, precisa de seus braços, eu preciso de seus braços, ele não fez nada para merecer isso, eu não fiz nada para merecer isso. Você já fez uma lista como essa, quando está perturbada por alguma situação em sua vida?

Quando eu acreditava que minhas circunstâncias eram um resultado da medida da minha fé, duvidei da sinceridade da minha fé e da veracidade das minhas orações. Essas dúvidas eram sintomas de uma questão mais profunda: em última análise, estava questionando o caráter de Deus. Todos os tipos de perguntas resultavam de um entendimento errado e da falta de crença em quem é Deus. Deus é realmente tão bom quanto a sua Palavra diz que ele é? Deus está realmente disposto a curar meu marido? Minha fé na obra de Jesus na cruz é suficiente para garantir que as minhas orações sejam ouvidas no céu? Será que cometemos algum pecado que não foi coberto pela cruz e, por isso, estávamos sendo punidos? Haveria uma maneira melhor para orar, para tornar nossas orações mais eficazes?

O verdadeiro evangelho da graça emitiu uma luz brilhante sobre essas perguntas que fiz, enquanto atravessava aquelas noites escuras. Comecei a me agarrar à verdade de que o caráter de Deus é imutável e de que seu poder é eterno. O evangelho é a lente pela qual Deus nos vê quando temos fé em seu Filho — o evangelho é nossa única, grande e permanente circunstância. Deus é bom se ele livrar Dave de sua dor. Deus é bom se ele não fizer isso. Mas o caráter de Deus permanece inalterado.

Há um mediador entre o homem e Deus — o Filho de Deus encarnado, Jesus Cristo. Ele ressuscitou da morte e está reinando à direita do Pai, intercedendo por mim mesma neste momento. Seu sangue fala por mim, então minhas orações são ouvidas na sala do trono do céu. Não tenho que orar mais alto, por mais tempo, ou com mais fervor para que Deus me ouça melhor. O sangue e a justiça de Jesus são suficientes para mim e me dão amplo acesso à sala do trono de Deus. É claro, continuarei orando a Deus para restaurar a saúde dos braços de Dave e torná-los funcionais, para que ele possa me dar abraços de urso novamente, rodopiar suas filhas pequenas em seus pijamas e ensinar seu filho como lutar e atirar uma bola de futebol americano.

Desperdicei tanto tempo e energia negando que Deus poderia utilizar nossas vidas de vasos de barro. Precisei de uma visão bíblica de quem é Deus e precisei estar aberta à questão que Deus tinha para mim. Talvez esta seja a mesma pergunta que Deus está lhe fazendo: "Você está disposta a me honrar em sua fragilidade?".

MENTIR É UM SINTOMA
DE NOSSA FRAGILIDADE

Muitas de nós podemos não ser capazes de apontar para a dor crônica ou alguma outra circunstância extrema em nossa vida, para ilustrar nossa fragilidade ou pontuar nossas lutas em viver autenticamente. As pessoas podem não ser capazes de olhar para as armadilhas de sua vida e identificar as formas em que você é fraca, insuficiente ou confusa. Mas não há sequer uma de nós que não tenha esse sentimento persistente de que nós simplesmente não estamos à altura — das normas de Deus, dos padrões do mundo, dos padrões dos nossos amigos, dos padrões da nossa família, dos padrões do nosso cônjuge, ou mesmo dos nossos próprios padrões.

Mentir para outras pessoas é apenas um dos sintomas pelos quais mostramos nossa necessidade de um Salvador. Mentir para os nossos amigos é um indicativo de nossa fragilidade. Você já mentiu para os seus amigos? É claro que não queremos mentir quando seguimos o protocolo social e respondemos "Bem" a alguém que pergunta "Como você está hoje?". Claro que não entramos em uma sala intencionalmente com a esperança de enganar a todos com quem conversamos. Ou *fazemos isso*?

Talvez nossos relacionamentos sejam apenas casuais, porque não estamos dispostas a revelar o que está no nível do coração. Talvez ninguém ouse perguntar. Talvez estejamos incertas sobre como estamos realmente nos sentindo. Talvez não estejamos dispostas a ouvir dos outros como eles realmente estão se sentindo. Talvez estejamos com medo da verdade — de que ela nos sobrepujaria. Talvez estejamos inseguras por termos nos ferido no passado. Talvez estejamos egoisticamente absortas com o que se passa em nossos corações. Talvez sejamos apenas ignorantes para a beleza da autorrevelação compartilhada por causa do evangelho. Talvez prefiramos nos apegar a nossas suposições em relação aos outros.

Em certos momentos, estamos tão envolvidas em nossas próprias pretensões, que reconhecer o verdadeiro "eu" é difícil. Por vezes, *nós mesmas* não temos certeza de como estamos nos sentindo. Claro, podemos ser polidas e elegantes do lado de fora — não nos esquecemos de nada, estamos prontas para tudo (quão cheia está sua bolsa?), nem um fio de cabelo está fora do lugar, nossa sala de estar parece ser inabitada. Porém, por dentro, há uma alma confusa e bagunçada, vacilante sob o peso da fachada que estamos construindo.

Queremos parecer bem frente aos outros e parecer bem a nós mesmas também. Alguém uma vez disse: "Uma mentira é uma facada nos órgãos vitais do corpo de Cristo". Se somos membros de um corpo, como um membro pode mentir ou enganar o outro? Como podemos chorar com aqueles que choram e nos regozijar com aqueles que se regozijam, se somos ignorantes à dor e à alegria na vida uns dos outros?

Quando a fachada que construo para o meu coração atinge a minha casa, transformo a administração do lar em uma exibição grandiosa do meu estilo pessoal. Esqueço que cuidar da casa não se trata da minha personalidade, mas serve, sobretudo, para adornar o evangelho, porque a graça de Deus se manifestou, trazendo salvação para todos os povos (Tito 2.11).

JESUS É A NOSSA MAIOR REALIDADE

Jesus é a pessoa mais real que já viveu. Não havia um grama de pretensão nele. Ele nunca fingiu ser qualquer coisa que não era. Ele é nosso alicerce firme, e estamos seguras porque estamos nele. Somos corajosas, porque ele passou adiante de nós. Perseveramos através de provas, porque ele está intercedendo por nós. Declaramos a sua vitória sobre o nosso pecado, porque ele pregou o registro de condenação contra nós na cruz. Quando sentimos que somos egocêntricas, preocupadas com o que os outros pensam de nós e intimidadas em ser honestas com os outros, podemos encontrar ajuda em Cristo.

Jesus é o nosso Sumo Sacerdote, que compreende nossas fraquezas. Ele sabe como somos tentadas e pode nos ajudar a permanecer firmes e a resistir às mentiras do diabo. Além disso, Jesus nos dá a sua justiça. Há esperança para nós que lutamos com a timidez e a pretensão. Há esperança para nós que, diariamente, nos esquecemos da obra de Cristo na cruz.

Quando percebemos que erramos mais uma vez, devemos lançar-nos à misericórdia de Deus, mostrada para nós na cruz. Quando nossas intenções são pobres, devemos clamar a Jesus por socorro. Quando estamos certas de que estamos indo bem, e a mortalha da pretensão começa a nos envolver, devemos nos arrepender do orgulho e nos agarrar a Jesus, confiantes de que ele vai curar nossos corações partidos.

A graça de Deus nos lembra de viver na realidade do evangelho e nos lembra do futuro que ele nos prometeu em Cristo. Nossa confiança vem do que Jesus fez e fará no futuro, nos ressuscitando para a vida eterna, assim como ele ressuscitou. Podemos rejeitar o amor-próprio da autocomiseração e do orgulho exultante. Isso acontecerá ao vermos Jesus como ele realmente é. Ao vê-lo verdadeiramente, ele se torna mais e mais precioso para nós, e nós, por nossa vez, somos moldadas por ele ao contemplá-lo (2 Coríntios 3.18).

E QUANDO VOCÊ DEIXAR ESTE LIVRO DE LADO?

Essas verdades são adoráveis para se ler e meditar neste momento, mas e daqui a dez minutos a partir de agora? Quão sólidas são essas verdades quando você tem que decidir entre responder à uma ligação ou entrar em uma sala com pessoas? A solidez e a confiabilidade do evangelho são tão seguras e certas quanto Deus. Veja o que Deus diz sobre si mesmo:

> Saberás, pois, que o Senhor, teu Deus, é Deus, o Deus fiel, que guarda a aliança e a misericórdia até mil gerações aos que o amam e cumprem os seus mandamentos.
> (Deuteronômio 7.9)

> Eis a Rocha! Suas obras são perfeitas, porque todos os seus caminhos são juízo; Deus é fidelidade, e não há nele injustiça; é justo e reto.
> (Deuteronômio 32.4)

> Pois a tua misericórdia se eleva até aos céus, e a tua fidelidade, até às nuvens.
> (Salmos 57.10)

Ó Senhor, Deus dos Exércitos,
quem é poderoso como tu és, Senhor,
com a tua fidelidade ao redor de ti?!
(Salmos 89.8)

Fiel é Deus, pelo qual fostes chamados à comunhão de seu
Filho Jesus Cristo, nosso Senhor.
(1 Coríntios 1.9)

Fiel é o que vos chama, o qual também o fará.
(1 Tessalonicenses 5.24)

Guardemos firme a confissão da esperança, sem vacilar,
pois quem fez a promessa é fiel.
(Hebreus 10.23)

A fé crê em Deus. A fé crê que somos quem Deus diz que somos.
A fé crê no que Cristo fez na cruz. A fé crê que Deus vai cumprir suas
promessas para nós. Esse é o tipo de fé que muda uma pessoa.

VASOS DE BARRO EXULTANDO EM DEUS

Viver na realidade desse evangelho pela fé *irá* motivá-la a amar os
outros como Jesus ama. Esta tarde, naquele temido encontro social,
ou esta noite, quando você passar um tempo com seu cônjuge e tiver
uma conversa difícil, ou amanhã de manhã quando você abrir sua
casa para alguns amigos ou estranhos — você precisa estar confiante

de que o que Jesus lhe promete no futuro, acontecerá. Ele prometeu estar com você, mesmo no fim dos tempos. Jesus, ele mesmo, lhe prometeu e lhe dará tudo de que você necessita para a vida e para a santidade.

Você pode confiar em Jesus porque ele morreu por você! Romanos 8.32 diz: "Aquele que não poupou o seu próprio Filho, antes, por todos nós o entregou, porventura, não nos dará graciosamente com ele todas as coisas?".

Quando você não conseguir ver nenhuma escapatória de uma situação, por não ter as habilidades, a experiência ou o conhecimento necessário, mas Deus a chamar para servir, confie nele. Avance confiante de que Deus ama fazer coisas para demonstrar seu poder. "Não por força nem por poder, mas pelo meu Espírito, diz o Senhor dos Exércitos" (Zacarias 4.6).

Quando você está em uma conversa com alguém que precisa ouvir a verdade sobre Jesus, confie em Deus. Acredite que Deus é poderoso quando ele lhe chama para proclamar Jesus Cristo como Senhor e você mesma para ser uma serva pelo amor dele (2 Coríntios 4.5).

Se você está se sentindo intimidada pelos argumentos acadêmicos ou pela personalidade forte de alguém, confie em Deus. Creia que Deus é sábio quando lhe chama em sua fraqueza e medo para proclamar a verdade sobre Jesus Cristo e sobre si mesmo. Não se apoie na sabedoria dos homens, mas deixe sua fé repousar em Deus, conforme o Espírito Santo demonstra seu poder (1 Coríntios 2.1-5).

Quando você está sem confiança no que Deus lhe chamou para fazer e está pensando em voltar atrás por causa do medo do fracasso ou da inadequação, confie em Deus. Valorize a supremacia de Deus ao andar pela fé e leve cativo todo pensamento à obediência de Cristo (2 Coríntios 10.4-5).

Se você estiver analisando sua vida quebrantada e imaginando "o que é que eu estou fazendo por Deus?", confie nele. Agarre-se com firmeza nas palavras de Paulo: "A minha graça te basta, porque o poder se aperfeiçoa na fraqueza". Então se vanglorie em suas fraquezas para que o poder de Cristo repouse em você. Contente-se com o fato de que quando você é fraca nestes momentos, você é forte em Cristo (2 Coríntios 12.9-10).

Deus se satisfaz em usar frágeis vasos de barro e lares imperfeitos pelo amor de sua glória entre as nações!

Capítulo 12

O ÍDOLO DE UM
LAR PERFEITO

Há alguns anos, minha amiga Samantha lavou as roupas de nossa família por mais de seis semanas. Não, ela não perdeu uma aposta, e, sim, eu tinha uma máquina de lavar. Sim, sou um pouco preguiçosa com a roupa suja de vez em quando, e Samantha é uma pessoa dotada de um coração servil. Além do que, ela dobra camisetas muito melhor do que eu. Ah, e o sabão que ela usava na época cheirava muitíssimo bem. Mas esse não é o motivo pelo qual ela, por seis semanas, (de seu apartamento na vizinhança) ia e voltava de nosso apartamento carregando nossas roupas.

Tudo isso remonta à maneira como o nosso edifício foi projetado. Ele foi construído rapidamente e foi feito por completo de cimento. Entre outros problemas, ele se contraiu enquanto estava sendo construído rapidamente; então os canos não foram liberados do pó de cimento que se instalou em seus interiores.

IMAGEM É TUDO

Quando nos mudamos para o apartamento novo, os auxiliares da mudança fizeram a conexão entre a máquina de lavar e os canos apropriados. Na primeira vez que utilizamos a máquina sabíamos que havia um problema. O que você obtém quando mistura pó de cimento com água? Isso mesmo — um cano cheio de cimento. Creio que deveria estar agradecida pelo fato de que o encanamento do banheiro não estava cheio de cimento também. Se esse tivesse sido o caso, teríamos desistido dos reparos que estavam por vir e mudado para a casa da Samantha e seu marido!

Comecei a telefonar para a equipe de manutenção com frequência, implorando para virem e substituírem o cano. Aparentemente foi o que muitos dos meus vizinhos fizeram, assim que cada um descobriu que seu apartamento novinho, afinal de contas, não era tão perfeito.

No entanto, a equipe de manutenção tinha outras preocupações além dos canos do nosso edifício. Como resultado dos muitos danos no encanamento, do lado externo do prédio apareceram indícios dos problemas internos, como rachaduras e manchas de umidade.

Por seis semanas, telefonei para a seção de ajuda da manutenção e solicitei, sem sucesso, que mandassem alguém para remover o cano antigo e o substituir por um sem cimento. Meus vizinhos fizeram o mesmo. As manchas de umidade na pintura externa, entretanto, receberam muitos cuidados e atenção especiais. Devido ao vazamento de água dos canos entupidos com cimento, novas manchas apareciam toda semana. E toda semana a equipe de manutenção aparecia para pintar sobre as novas manchas e preencher as rachaduras. O lado do prédio que dava para a rua estava sempre recém pintado.

Estava levemente irritada a primeira vez que os vi pintando as manchas. Na quarta vez que os pintores estavam reparando as paredes externas, estava furiosa. Fiquei do lado de fora do prédio, olhando para eles em cima dos andaimes enquanto ligava para o suporte, e fiz o meu melhor para manter a calma. "Os canos de *dentro* ainda estão *danificados*. Eles continuarão *vazando,* a não ser que vocês os consertem. Por favor, não ligamos para a pintura. Por fav-o-o-o-or, mande-os para *dentro* para consertarem os *canos*".

Este cenário me lembrou do que um dos meus amigos locais dizia: "Sua cultura diz: 'Não julgue um livro pela capa!'. Nós achamos isso uma bobagem! Claro que você deve julgar um livro pela capa. De que outro modo você saberá que é um bom livro?".

Neste caso, a aparência exterior do edifício era mais importante do que o funcionamento de suas partes internas e o contentamento dos seus inquilinos. Os pintores continuaram a embelezar cuidadosamente as paredes exteriores, enquanto o encanamento era postergado. Uma equipe de paisagismo veio, na mesma época, para retirar as flores murchas e substituí-las por novas, mais vibrantes. Imagem é tudo.

Nós não somos tão diferentes desses pintores cuidadosos. Trabalhamos tanto para construir uma imagem em nossa casa que muitas vezes negligenciamos os cuidados que definem e modelam um lar. E quando as coisas não estão funcionando bem dentro de nossos lares, os problemas se infiltram para o lado de fora, onde todos podem ver. Quando isso acontece, nosso instinto é consertar as rachaduras e pintar sobre as manchas, em detrimento do conserto do interior.

Contudo o evangelho nos leva para a verdade e permite nos atrevermos a descobrir o que se encontra abaixo da superfície bem cuidada das nossas vidas.

A GRAÇA CORAJOSA DO EVANGELHO

Quando eu era criança, assisti ao filme *A História Sem Fim* muitas vezes. Há uma cena em que um sábio fala com o dragão da sorte chamado Falkor, companheiro do guerreiro Atreyu. Ele diz que o próximo teste pelo qual Atreyu deveria passar era o portão do espelho mágico; ele teria que se olhar em um espelho e ver seu "eu verdadeiro". Falkor diz: "E daí? Isso não será muito difícil para ele". O sábio responde: "Ah, isso é o que todos acham! Mas pessoas gentis descobrem que são cruéis. Homens corajosos descobrem que, na realidade, são covardes! Confrontados pelo seu verdadeiro eu, a maioria dos homens fogem *gritando*!".

À luz do evangelho, podemos ter a determinação para enfrentar o que realmente somos e não fugir gritando. Jesus enfrentou nosso pecado e nosso inimigo, determinado a permanecer na cruz até nossa dívida para cada pecado ser paga na íntegra. Em triunfo, ele pregou o registro de condenação contra nós na cruz!

Por meio de Jesus, podemos encarar quem somos de verdade, em contraste com a imagem que preferimos mostrar aos outros. O evangelho inspira em nós a disposição de ceder a Deus o controle sobre a imagem que estamos tentando retratar através de nossas vidas no lar. Por meio de Jesus, estaremos mais preocupadas em sermos semelhantes a Deus e guiadas pela imagem dele. Por causa do evangelho, podemos nos afastar de qualquer portão de espelho mágico, regozijando-nos em quem Deus é ao invés de ficarmos devastadas por quem nós realmente somos.

ESTILO E PREFERÊNCIA

Cada dona de casa possui sua própria maneira de fazer as coisas. Isso fica muito óbvio quando você entra na casa de alguém e percebe as diferenças e as semelhanças com a sua. Às vezes, essas preferências podem fazer parte de um modelo ou estereótipo específico, e, para o resto de nós, "eclético" é o rótulo que usamos com orgulho. Vários rótulos diferentes podem descrever as donas de casa nos dias de hoje: *vintage*, ecológica, simples, chique, moderna, caseira, e a lista continua.

Deus projetou cada uma de nós para termos diferentes preferências na nossa forma de gerenciar e decorar nossas casas. Conheço uma mãe de três filhos que possui na entrada de sua casa uma sapateira com cartões plastificados, com os nomes dos integrantes da família em cada divisória, onde cada um coloca seus sapatos. Outra amiga, também com três filhos, se sente sufocada por sistemas de organização como esse e descreve a pilha de calçados no armário de seus filhos como "sapatos gratuitos para todos". Ambas as mulheres estão satisfeitas com a maneira que isso funciona para suas famílias.

Vivendo fora do meu país, tenho a oportunidade de me entreter em casas de pessoas cujas culturas diferem muito da minha. Notar diferentes estilos de salas de estar é como um passatempo para mim. Na casa de uma amiga, sua sala de estar dá a impressão de que ela pegou um catálogo e disse: "Esta aqui. Esta é a sala que eu quero. Vou levar tudo o que está nessa página e colocar do mesmo modo que vejo nessa fotografia". A casa de outra amiga tem uma sala de estar relativamente vazia, com sofás e um tapete entre eles. A sala de outra amiga aparenta como se cada membro da família vivesse nela — com sinais reveladores de uma vida familiar ativa espalhados pelo cômodo. Cada uma dessas donas de casa diria que a prioridade de servir às pessoas é a razão pela sua sala de estar ser organizada e gerida da maneira que é. Suas preferências pessoais também são parte dela, assim como seus estilos são uma bela e criativa forma de expressão pessoal.

A prioridade de servir certamente é verdadeira para os cristãos. O propósito de uma casa é servir às pessoas que lá vivem e às pessoas de fora que são convidadas. Cuidar da casa, como para o Senhor, é um adorno do glorioso evangelho!

ÍDOLOS DO LAR

Contudo, como notadamente disse João Calvino, pelo fato de nossos corações serem fábricas de ídolos, conforme gerimos nossas casas estamos propensas a esculpir tais ídolos a partir dos mesmos recursos que Deus quer que usemos para adorá-lo.

Não fazer das nossas casas um ídolo é complicado. Eu, pessoalmente, vivenciei como é ser obcecada com a ideia de organização na minha casa. Pensei que estava sendo levada pela máxima "Deus é um Deus de ordem e não de caos". Pensava que se cada coisa tivesse seu lugar, então meu coração se sentiria em paz, porque uma ordem rigorosa é divina. Todavia, ao invés de adorar a Deus, eu só queria estar no controle. Estava adorando a minha imagem e pensava que não seria tão ruim se outras pessoas também me admirassem.

Outras donas de casa podem ter uma mania diferente. Talvez seja a ideia de sua casa ser o seu santuário.

Eu também lutei com o ídolo da autoexpressão, vendo minha casa, principalmente, como uma extensão de mim mesma. Se alguma coisa estivesse fora de lugar ou não estivesse em perfeita ordem, então sentia que isso refletia de maneira negativa sobre minha personalidade e meu caráter. Novamente estava servindo minha própria imagem — não a de Deus.

Louvado seja o Senhor, porque há esperança para as donas de casa como nós, que são tão facilmente distraídas por ídolos e propensas à propagação de nossa própria imagem.

A CONSPIRAÇÃO CONTRA VOCÊ

Precisamos reconhecer que o diabo colocou armadilhas para nos aprisionar. As armadilhas são teias de mentiras a respeito de quem Deus é, quem você é, e o que Cristo fez por você. Ao se envolver nessa teia de mentiras, você tropeça, e seus membros espirituais ficam tão endurecidos que você se sente paralisada quando chamada a andar pela fé.

Não seja uma vítima de roubo de identidade. Aprenda como é a verdade para que possa reconhecer essas armadilhas. Não assuma coisas sobre o caráter de Deus ou sobre as intenções dele. Leia as Escrituras e medite sobre o que elas dizem acerca de quem Deus é. Não assuma o que o mundo diz sobre você como verdade. Na Bíblia, você pode descobrir o motivo pelo qual Deus a criou e como a projetou.

Tenha cautela quando algo se apresenta como "o caminho, a verdade e a vida" e a atrai para segui-lo. Não seja ingênua ao ver anúncios que são projetados para fazer você sentir necessidade de comprar a imagem deles, a fim de ser "o que você sempre quis ser". Volte às Escrituras como a autoridade que proclama que Jesus é *o* caminho, *a* verdade e *a* vida (João 14.6).

NOSSA IDENTIDADE EVANGÉLICA

Cristã, tudo o que Deus tem para você é graça sobre graça por causa do que Jesus fez por você. Para nós, pecadoras depravadas, as menos merecedoras, Jesus deu a sua vida. Ele estimava a lei de Deus com perfeição, algo que jamais faríamos. Jesus amava a lei de Deus, e a cumpriu obedecendo a Deus de maneira perfeita. Ninguém poderia ter feito isso a não ser Jesus, aquele que nunca pecou. Ele então nos deu sua vida ao morrer como nosso substituto. Na cruz, tomou nossos pecados para si e permitiu que o Pai derramasse sua ira sobre ele. Nossos pecados foram pagos na íntegra por causa do sacrifício de Jesus, então não há agora nenhuma condenação para os que estão em Cristo Jesus (Romanos 8.1).

Jesus deu sua vida em nosso lugar como um substituto para o pecado. Estamos perdoadas. Mas em Cristo não estamos simplesmente perdoadas, nem nos foi dada uma lousa em branco para começarmos de novo e tentarmos viver vidas boas e sagradas. Não! Não temos uma lousa em branco para começarmos de novo e conseguirmos uma "segunda chance". Se Deus nos desse uma segunda chance para vivermos perfeitamente ou mesmo enésimas chances de caminharmos em perfeita santidade diante dele, ainda assim falharíamos. Jesus nos dá sua vida de justiça quando estamos justificadas pela fé nele. O registro do pecado contra nós foi pregado na cruz, e Jesus nos deu seu registro de justiça perfeita.

Cristã, esse evangelho é a realidade na qual você vive esta manhã . Deus é absolutamente livre em sua escolha para derramar o seu amor em quem quer que lhe agrade e, em Cristo, ele escolheu você. Você não merecia isso, e essa é a beleza e a glória da graça sobre graça.

Sua imagem não é realmente sobre você, mas sobre ele. Deus criou você à sua imagem e está fazendo o trabalho de redimi-la bem aí, em meio a sua vida no lar. Parte de sua tarefa como aquela que carrega e se conforma à imagem divina é experimentar a alegria de fazer de Deus o seu tesouro mais precioso; ele fez de você o dele. Jogue fora todas as autoimagens que denigrem sua personalidade, ao chamar o seu cuidado de casa de uma evolução do instinto animal. Ver a nós mesmas por meio de quaisquer outras perspectivas é um insulto à cruz e à dignidade de Jesus, que é digno de receber a recompensa de seu sofrimento, ou seja, a adoração dos homens e mulheres de todas as tribos, línguas, povos e nações.

FALANDO DE FORMA PRÁTICA,
REFLETINDO DEUS EM SEU LAR

Na prática, qual é a aparência da fé transformadora em meio ao cotidiano? Colocando de forma simples, a fé olha para trás e para frente.

A fé olha para trás, para a cruz, e acredita que Jesus comprou toda a bênção espiritual para nós com seu sangue (Efésios 1.3). A fé também aguarda com expectativa a recompensa de tudo o que Deus tem para nós em Cristo. Esse é o tipo de fé que muda a forma como você vive hoje e a torna uma dona de casa cujo objetivo e prazer estão em Deus e em ser conformada à imagem dele.

Pela fé, cremos que Deus nos escolhe em Cristo, em amor, para sermos adotadas como filhas de Deus, "segundo o beneplácito de sua vontade" (Efésios 1.4-5). Amanhã de manhã, podemos levantar da cama e, com confiança, ir direto ao nosso Pai para dizer a ele que o amamos e precisamos dele; podemos compartilhar com ele tudo o que está em nosso coração. A fé crê que Deus irá nos satisfazer com alegria para sempre.

Pela fé, cremos que Deus nos criou em Cristo Jesus para boas obras (Efésios 2.10). Enquanto estamos fazendo o café da manhã, podemos planejar o dia servindo os outros pelo amor do evangelho, sabendo que é para isso que Deus nos criou. Além disso, seu poder divino nos garantiu as coisas relativas à vida e à piedade, porque ele nos chamou (2 Pedro 1.3). A fé crê que Deus deu ao crente a vida eterna.

Pela fé, cremos que Deus está nos construindo como uma morada espiritual, para sermos um santo sacerdócio e oferecermos sacrifícios espirituais aceitáveis a ele por meio de Jesus (1 Pedro 2.5). Ao primeiro sinal de deficiência relacionada ao cuidado com nossas casas, podemos agarrar-nos ao nosso grande Sumo Sacerdote, que faz com que os atos que praticamos na fé sejam aceitáveis a Deus. A fé crê que Deus vai terminar o trabalho que ele começou em nós (Filipenses 1.6).

Pela fé, cremos que fomos trazidas para perto de Deus por meio do sangue de Cristo, enquanto antes estávamos distantes e sem esperança (Efésios 2.13). No tempo em que saímos para fazer nossas incumbências de casa, podemos começar amizades com desconhecidos e convidá-los aos nossos lares porque não somos desconhecidas na morada de Deus, mas cidadãs — e até mesmo filhas (Efésios 2.19). A fé crê que Deus nos trará para sua morada.

Pela fé, cremos que fomos reconciliadas com Deus e uns com os outros por intermédio da cruz (Efésios 2.16). Ao primeiro sinal da tentação de fazer da nossa casa um ídolo, podemos nos concentrar no prazer de Deus em reunir um povo para o louvor de seu nome — uma habitação para Deus no Espírito (Efésios 2.22). A fé crê que Deus será exaltado em toda a Terra.

Pela fé, cremos que Deus nos dará a coragem de que precisamos para compartilhar o evangelho em face da oposição (1 Tessalonicenses 2.2). Hoje à noite podemos gerenciar nossos lares em graça e amor, apesar de vivermos em um mundo que é hostil ao evangelho e que procura destruir o que Deus ama. A fé crê que Deus irá derrotar o diabo e destruir suas obras (2 Tessalonicenses 2.8).

SEPARE SEU LAR PARA JESUS

Jesus é a verdadeira e melhor imagem, é a imagem do Deus invisível (Colossenses 1.15). Jesus criou todas as coisas no céu e na terra — todas as coisas foram criadas através dele e para ele (Colossenses 1.16). Jesus é antes de todas as coisas e nele todas as coisas subsistem (Colossenses 1.17). Jesus é o Senhor soberano de cada centímetro quadrado de sua casa — dos canos até a televisão e os colchões. Ele é Senhor dessas coisas e deseja que você use o que ele te deu para glorificá-lo. Isso não significa que sua casa precisa ser perfeita aos padrões do mundo ou mesmo para seus padrões pessoais, mas consagrada segundo os padrões de Deus.

Em Romanos 12.1-2, vemos uma descrição do que significa sermos separadas para Deus: "Rogo-vos, pois, irmãos, pelas misericórdias de Deus, que apresenteis o vosso corpo por sacrifício vivo, santo e agradável a Deus, que é o vosso culto racional. E não vos conformeis com este século, mas transformai-vos pela renovação da vossa mente, para que experimenteis qual seja a boa, agradável e perfeita vontade de Deus". Uma vez que Jesus é o Senhor sobre todas as coisas, e Deus está submetendo todas as coisas aos seus pés (1 Coríntios 15.27), incluindo as nossas casas, por sua graça, nós utilizamos nossos lares para adorá-lo.

Capítulo 13

O CONTENTAMENTO EM CRISTO VEM COM UMA SONECA?

"Mamãe-e-e-e! O bebê está com o seu telefo-o-o-ne!". A voz da minha filha veio descendo pelo corredor.

"Como ele conseguiu fazer isso?", me perguntei em voz alta. Ele deve ter desconectado meu telefone do cabo do carregador, que estava no criado-mudo próximo ao seu berço. Deixei cair os lençóis na cama que estava arrumando para ir resgatar meu telefone. Em minha mente podia ver a baba do bebê se infiltrando naquele minúsculo buraco onde você pluga os fones de ouvido causando um curto-circuito nos alto-falantes.

TÃO SÉRIO QUANTO UM BEBÊ SEM FRALDAS

Quando entrei no quarto e o vi, eu estava ofegante. "Ah não! *Não!*".

De fato, lá estava ele, segurando meu telefone em sua mão pequena e gordinha. O que me tirou o fôlego foi o que vi em sua outra mão. Ele estava segurando uma fralda. A *sua* fralda.

Sua feição feliz me disse que ele estava muito orgulhoso de seu novo truque. Freneticamente tateei em torno do berço e de seu cobertor — secos! Felizmente a corrente de ar não o havia pegado ainda. Senti uma onda de alívio sobre mim. Este é o tipo de misericórdia que você não aprecia até descobrir o perigo que estava correndo.

Estava grata por duas coisas ao mesmo tempo. Feliz porque minha filha me avisou que o bebê estava prestes a usar meu telefone para sua travessura. Se ela não tivesse soado o alarme, quem sabe quantos telefonemas ele poderia ter feito para o último número que eu havia discado. Também estava contente por intervir no problema mais urgente: seu pequeno bumbum livre, leve e solto, sem fralda.

Obviamente, tanto o celular "roubado" quanto o bumbum nu do bebê requeriam a minha atenção. Porém, minha filha tinha centrado apenas na primeira questão de importância. Ela se esqueceu de me avisar sobre o assunto mais urgente.

Às vezes, lemos a Bíblia dessa forma. Lemos algo importante e nos fixamos nisso, negligenciando outras coisas que são tão importantes quanto ou até mais urgentes.

TENDEMOS A IGNORAR O CONTENTAMENTO

Ao lermos a Bíblia, podemos nos deparar com uma passagem que contém várias questões importantes. Podemos meditar sobre um assunto, considerá-lo em espírito de oração e discuti-lo com outros. Quando pensamos que entendemos aquela parte importante, muitas vezes, passamos para outro assunto, deixando as outras questões de lado.

Isso é triste, porque ganhamos um benefício enorme ao persistir na oração e na meditação sobre as passagens das Escrituras. Ao concentrarmos nossas mentes e corações em entender a Palavra de Deus, o Espírito Santo continuará a iluminá-la e a escrevê-la de forma duradoura em nosso coração. Às vezes, enquanto lemos a Bíblia, podemos não notar algo tão sério e urgente como um bebê sem fralda, mas de vez em quando, notamos.

O exemplo de contentamento do apóstolo Paulo é algo para se considerar. Quantas vezes já ouvimos a citação deste versículo? "Digo isto, não por causa da pobreza, porque aprendi a viver contente em toda e qualquer situação" (Filipenses 4.11). O contentamento é uma daquelas atitudes desejáveis que todas nós queremos ter, ainda que raramente sintamos, mesmo tendo. É por isso que Filipenses 4.11 parece um bom versículo para se escrever em um pequeno papel e deixar dentro do seu armário, a fim de lembrá-la de sua riqueza abundante quando você pensa "eu não tenho *nada* para vestir!".

Algumas de nós que são mais cínicas do que outras (me incluo aqui) podem ser tentadas a zombar e dizer: "Paulo diz que está contente em qualquer situação? É óbvio, ele não estava na *minha* situação". Honestamente, não saio por aí pedindo aos meus amigos para citar Filipenses 4.11 para mim quando estou fazendo compras ou numa crise de autocomiseração por causa das minhas circunstâncias.

DEVERÍAMOS SIMPLESMENTE
JOGAR TUDO FORA?

Todas nós queremos aprender sobre o contentamento, mas nem sempre apreciamos a parte do *aprendizado*. Na maioria das vezes, preferiríamos que Deus tocasse em nossas cabeças com uma varinha mágica.

O contentamento é evasivo e amplamente desejado por todos — não apenas pelos cristãos. Algumas religiões pregam a simplicidade e o ascetismo como as soluções frente ao descontentamento. O materialismo fútil é uma tentativa de atingir o contentamento. Onde vivemos, somos testemunhas de algumas das buscas mais extremas do mundo pelo contentamento através do puro poder de compra.

Para mim, ao passar um dia em casa, posso ver como tentar o minimalismo e a simplicidade parecem ser uma solução para o meu descontentamento. Quando olho para o quarto dos meus filhos, depois de ter-lhes pedido para limpá-lo, e vejo pilhas de livros espalhadas por todo o lugar, as joias de brinquedo despejadas na cama de alguém e minúsculos pedaços de massinha encrustados, sujando o chão, sinto uma tremenda falta de paz.

A desorganização me incomoda, então começo a atirar ameaças vãs para a atmosfera: "Se estes brinquedos não forem guardados corretamente, vou assumir que vocês não os querem mais e vou jogá-los no lixo". Eu poderia fazer um lembrete mental das coisas que preciso organizar melhor. Se tivesse aquele armário em particular disponível ou um sistema mais eficiente para armazenar brinquedos, material escolar, roupas, *qualquer coisa* — então ficaria feliz.

Acho que se não vejo nenhum caos, então isso assume o aspecto de paz. Essa é a mentira ilusória. Eu confesso humildemente a você que se o seu coração for de alguma forma igual ao meu, não importa o quão bem você tenha organizado sua dispensa, os brinquedos dos seus filhos ou sua caixa de e-mails se houver descontentamento dentro do seu coração.

Se há descontentamento em seu coração, então não há um cômodo de sua casa sequer aonde você possa ir e se sentir em paz. Você vai, como eu, tentar criar o ambiente perfeito, livre de distrações, para que possa se concentrar. Ao final do dia, descobrirá que o caos não está em seu ambiente — está em seu coração.

O BEBÊ SEM FRALDAS EM FILIPENSES 4.11

O contentamento cristão é muito mais do que ser feliz com o que você está vestindo, ou do valor que tem guardado em sua poupança, ou da estética da sua casa.

Vamos olhar primeiro para o ponto mais óbvio de Filipenses 4.11. O fato mais aparente que notamos é a experiência de Paulo com relação ao contentamento. Ou seja, ele aprendeu a se contentar, *independente* de suas circunstâncias. Ele escreve essa carta aos Filipenses enquanto está na prisão, acorrentado a guardas e preso por pregar o evangelho. Está perto do fim de sua vida e, provavelmente, sentindo muita dor, como resultado das muitas surras que levou ao longo dos anos. Não posso imaginar que a comida ou o pronto-socorro da prisão tenham sido agradáveis a Paulo.

No entanto ele diz que aprendeu a viver contente em *qualquer* circunstância. O que, a princípio, se destaca para nós é o amplo alcance de sua declaração — "*qualquer* situação". A Bíblia é a Palavra inerrante de Deus, e, assim, podemos ter certeza de que "qualquer situação" não significa "a maioria das situações", "apenas as situações de que eu gosto" ou "apenas as situações que eu controlo". Paulo diz que aprendeu a ter contentamento em *qualquer* situação.

Quando leio essa afirmação, sou humilhada. Aqui está Paulo: contente e acorrentado. E aqui estou eu: pronta para reclamar de coisas como a internet que é muito lenta e das crianças preciosas que me acordaram antes que eu estivesse pronta para me levantar. "Controle-se, fracote.", repreendo a mim mesma. "Olhe para Paulo! Você não tem nada do que reclamar. Paulo está acorrentado e está feliz, e você não é feliz com os sapatos novos que comprou!".

Mas Filipenses 4.11 não é só uma correção para as pessoas ingratas e privilegiadas. Também não é uma correção para as pessoas ingratas e menos privilegiadas. A primeira parte do versículo, enquanto chocante e capaz de mudar vidas, é só a ponta do *iceberg*, por assim dizer. Essa parte do verso é como o celular que o bebê com o bumbum de fora está mastigando.

Vamos olhar mais uma vez. Filipenses 4.11 também é útil para se treinar a justiça. A palavra grega que Paulo usa para *contente* significa "autossuficiente". *O que foi que ele disse?* Paulo é *autossuficiente*? Autossuficiência soa estranho e anormal ao ouvido cristão, que foi treinado para ouvir coisas que pronunciam e exaltam a suficiência de Cristo.

O QUE PAULO QUER DIZER
COM AUTOSSUFICIÊNCIA

Como Paulo pode dizer que aprendeu a ser autossuficiente? Tudo sobre a ideia de autossuficiência parece ir contra o evangelho, por meio do qual somos salvas pela graça que não vem de nós mesmas.

Paulo certamente viveu na realidade deste evangelho da graça, portanto, é claro que não pode estar lançando uma sombra de dúvida sobre a suficiência de Cristo. De maneira nenhuma! Ele está *afirmando* que a graça de Cristo que você vivencia em sua vida é suficiente para satisfazer seu coração em toda e qualquer circunstância. Sua experiência de graça é algo que ele carrega dentro de si mesmo, conforme o Espírito Santo habita nele. Jeremiah Burroughs explica que: "Pelo fato de ter direito à aliança e à promessa, as quais virtualmente contêm tudo, bem como um interesse em Cristo, a fonte do bem de tudo, não é de se admirar que ele tenha dito que em qualquer estado que estivesse, estaria contente"[1].

Se isso é verdade sobre o apóstolo Paulo — que sua experiência de graça é algo que carrega dentro de si mesmo, conforme o Espírito Santo habita nele — então, como filhas de Deus que se agarram ao mesmo evangelho que Paulo pregou, isso é verdade para nós também.

Se o mesmo Espírito Santo habita em nós, então nós podemos aprender o contentamento. Amo como Burroughs descreve esse aprendizado: "Em toda condição o contentamento é uma grande arte, um mistério espiritual. Ele é para ser aprendido e para ser aprendido como um mistério"[2]. Uma grande arte e um mistério espiritual! Burroughs está dizendo que o contentamento não se dá por uma fórmula matemática ou um alinhamento de circunstâncias ideais. Não podemos apenas inserir a quantidade certa de moedas em uma máquina de venda automática e apertar um botão para receber contentamento. Não podemos apenas mobiliar a sala de estar perfeitamente ou apenas simplificar o nosso estilo de vida do jeito certo. Não há um padrão místico a se seguir, nenhum número de preces a recitar, nenhuma cota de pagamento futuro a completar. Se sua jornada de aprendizado de contentamento é uma obra de arte, então o próprio Deus é o artista.

Não há uma fórmula mágica para o perfeito contentamento em Cristo, a não ser que essa fórmula seja algo que lhe mande hoje para o céu com Jesus, onde estará perfeitamente contente na presença dele, para sempre.

DESMAME NOTURNO E CONTENTAMENTO

O que mais gosto sobre ler os Puritanos é ver como eles conectaram os momentos cotidianos da vida ao grande trabalho de Deus em nos fazer santas. Burroughs escreveu um livro inteiro sobre o contentamento, que abrange uma lição sobre sabedoria, incluindo este vislumbre da graça:

> Assim, quando Deus desmama você de alguns confortos deste mundo, ah, como você fica inquieto e descontente! As crianças não vão dormir, nem deixar que suas mães durmam quando estão desmamando; e assim, quando Deus nos desmama do mundo, e nos enervamos, sofremos e murmuramos, este é um espírito infantil.

Ele *não* está brincando. Em ponto algum. Burroughs pode ter vivido em 1600, no entanto poderia ter estado à nossa mesa de café da manhã no dia de hoje.

Quando uma criança está desmamando e se aventurando nos alimentos sólidos, pode haver uma grande curva de aprendizado. Meu filho mais novo come cada refeição como se fosse a menor criança na mesa das crianças no dia de Ação de Graças, o qual tem que pegar as batatas doces antes que o primo mais velho pegue todas. Meu filho só tem um ano de idade, mas come tão rápido que enche as bochechas como um esquilo, e, então, chora, porque a comida não desce rápido o suficiente até sua barriga. Seu deus é seu estômago, por assim dizer. Se sua barriga está cheia, então está contente. Que ilustração incrível vemos aqui. Quando estamos aprendendo a arte do contentamento cristão, não somos tão diferentes de bebês na transição entre beber leite e comer alimentos sólidos. Costumávamos consumir nosso alimento com grande facilidade — era líquido, afinal. Todavia, quando somos chamadas a amadurecer, nos alimentar por conta própria e mastigar nossa comida, relutamos ante o trabalho duro.

A SUBMISSÃO A DEUS É FUNDAMENTAL PARA O CONTENTAMENTO

Burroughs dá conselhos práticos para aqueles que buscam o contentamento mas têm dificuldade em por onde começar: "Exercite a fé ao frequentemente resignar-se a Deus, ao dar-se para Deus e seus caminhos. Quanto mais você se render a Deus, em fé, mais paz e tranquilidade você terá"[3]. Aqui podemos vê-lo conectar contentamento com a submissão a Deus, que é uma abordagem totalmente diferente da que o mundo recomendaria. O mundo recomenda manipular suas circunstâncias para alcançar contentamento. Ganhe mais dinheiro para comprar o que você precisa e quer. Se o seu cônjuge atual não combina com você, então encontre uma maneira de sair de seu casamento para encontrar alguém que te faça feliz. Há a corrente filantrópica que diz para você doar aos outros o que você tem, a fim de encontrar felicidade em suas boas ações. O ascetismo a aconselharia a se livrar de qualquer coisa que esteja distraindo sua alma da paz interior.

O cristianismo diria para você se submeter a Deus para que ele possa lhe dar contentamento nele. Jesus clarifica esta ideia de se submeter a Deus quando ilustra as alternativas. "Ninguém pode servir a dois senhores; porque ou há de aborrecer-se de um e amar ao outro, ou se devotará a um e desprezará ao outro. Não podeis servir a Deus e às riquezas. Por isso, vos digo: não andeis ansiosos pela vossa vida, quanto ao que haveis de comer ou beber; nem pelo vosso corpo, quanto ao que haveis de vestir. Não é a vida mais do que o alimento, e o corpo, mais do que as vestes?" (Mateus 6.24-25). Jesus está falando para uma multidão de pessoas que não eram tão diferentes de você e de mim. Eles não estavam apenas levemente preocupados com o que comiam, bebiam e as roupas que usavam — estavam ansiosos. "O que comeremos? O que beberemos? O que vamos vestir?". Jesus fala ao coração por trás das perguntas. Três vezes em Mateus 6.25-34, o Senhor diz:

"Não andeis ansiosos". Ele explica a melhor maneira quando diz: "Buscai, pois, em primeiro lugar, o seu reino e a sua justiça, e todas estas coisas vos serão acrescentadas" (Mateus 6.33).

É preciso muito orgulho para ficar ansioso. Quando fico ansiosa estou supondo que o fato de estar assim e as reações automáticas geradas por esse estado são o melhor para mim. A busca pelo reino de Deus não é um caminho pavimentado em ansiedade, mas em submissão pacífica. Em outras palavras, a busca pelo reino de Deus é algo diretamente relacionado ao nosso contentamento.

O CONTENTAMENTO NÃO PODE VIR DE PASSO-A-PASSOS

Eu sei que isso soa duro demais. Submeter-se a Deus de modo a resolver o descontentamento? Preferiria muito mais acreditar que cerca de dez passo-a-passos fáceis para organizar meu lar garantiriam que a desordem da minha vida desaparecesse. De certo modo, é mais fácil fazer um plano de passo-a-passos para eliminar o caos de sua casa. Sou uma grande fã de passo-a-passos. Atualizei minhas listas de afazeres em um *software* de computador que organiza as coisas melhor do que eu jamais teria feito. Aprendi (do jeito difícil) a delegar algumas responsabilidades em torno do espaço casa/ igreja.

Passo-a-passos são coisas boas! Reduzem o número de viagens que você faz ao supermercado através de um planejamento cuidadoso. Encolhem sua programação ocupada ao compartilhar o carro com os outros. Reciclam seus pertences nas mãos de pessoas mais necessitadas. Simplificam seu mundo com disciplina cuidadosa e planejamento mais sofisticado. Essas são todas coisas *muito* boas.

Mas nenhuma dessas "coisas a fazer" pode oferecer a paz que elas prometem, em especial se elas se elevam ao *status* de um ídolo em nosso coração.[4] Sei, pessoalmente, que passo-a-passos são as coisas mais fáceis a se fazer. De fato, eles me dão uma sensação temporária de alívio, sabendo que, pelo menos, estou fazendo alguma coisa, e não só permanecendo envolta em minha situação de descontentamento. Fazer algo é uma boa distração — qualquer coisa — desde que não seja sentar e ficar remoendo o caos espiritual que estou sentindo.

COISAS PARA SE FAZER SEMPRE

Contudo Paulo fala que há uma coisa que podemos fazer. Observe o que ele diz alguns versículos antes, em Filipenses 4.4: "Alegrai-vos sempre no Senhor; outra vez digo: alegrai-vos". Você pode colocar isso no topo de sua lista de afazeres. Mas não o coloque como um item numérico "Coisas a fazer #1: Alegrar-me no Senhor". Coloque-o no topo, no lugar mais alto, suplantando todas as suas prioridades: "Alegrar-me no Senhor *sempre*". Alegre-se no Senhor *ao* realizar o item número um da lista, o número dois, o número três — e assim por diante. Alegrar-se no Senhor vem antes do seu contentamento, porque somente o Senhor pode satisfazer sua alma eterna e suficientemente.

Somente o amor *ágape* tem a cura eterna para o nosso descontentamento.

NÃO DEIXE SEU CORAÇÃO
TRANSFORMAR BÊNÇÃOS EM ÍDOLOS

Aprender a arte do contentamento envolve agradecer a Deus pelas coisas que ele nos deu. Nossa gratidão a Deus por suas bênçãos é um veículo que Deus utiliza para nos dar algo muito mais satisfatório, ou seja, ele mesmo.

Deus é aquele que dá todas as boas dádivas (Tiago 1.17) e usa essas dádivas para elevar as afeições de nossas almas a alturas maiores do que qualquer coisa boa neste mundo jamais nos elevaria. Todas as dádivas de Deus servem esse propósito — de elevar as afeições de nossas almas por ele. Considere a dádiva do perdão dos pecados. Mesmo a gratidão por algo como a dádiva do perdão é míope, a não ser que a vejamos como um veículo que remove o obstáculo do nosso pecado, nos permitindo aproveitar uma satisfação duradoura em Deus.

A dádiva de Deus é maior do que um cônjuge que lhe aceita, apesar do seu lixo; maior que uma criança que te ama com entusiasmado afeto; maior do que sua popularidade entre seus grupos de amigos; maior, até mesmo, que a aprovação que você se dá quando gosta do que vê no espelho ou do que criou para colocar na mesa de jantar.

Uma maneira pela qual as dádivas de Deus podem servir a nossa alegria eterna é nos ajudando a interpretar nossos desejos. Pense em um presente de Deus. Você o tem em sua mente? Agora pergunte a si mesma, o que é que, nesse presente em particular, satisfaz a alma, ainda que temporariamente? Quando você começa a ver como uma dádiva de Deus toca sua alma, você vai perceber que o presente está, na verdade, apontando para um espaço em seu coração que Deus pode preencher eternamente com uma alegria duradoura. Quando estimamos o próprio Deus como a dádiva suprema, os presentes que ele nos dá se tornam um óculos através dos quais podemos ver o sagrado com clareza. Quando isso acontece, estamos aptas para concordar com os santos de antigamente, que adoravam a Deus por quem ele é: "Rendei graças ao SENHOR, porque ele é bom; porque a sua misericórdia dura para sempre!" (1 Crônicas 16.34).

Conclusão

DEUS QUER DAR A SI MESMO A VOCÊ

Às vezes, meu filho menor fica mal humorado e descontente, porque não vamos deixar ele fazer aquilo que ele mais gostaria de fazer. Sua brincadeira favorita, no momento, é tentar enfiar o braço em um vaso sanitário enquanto dá descarga. A primeira vez que ele fez isso, seu rosto se iluminou de completa alegria. Agora sabemos que não podemos confiar nele com relação ao acesso ao banheiro. Sempre que ele entra em um cômodo, suas irmãs sabem que é seu dever fundamental garantir que a porta do banheiro esteja fechada. Elas estão enojadas com a brincadeira do irmão tanto quanto eu.

Todavia ele está atento a elas e não será dissuadido. Ou ele tem um sexto sentido ou é melhor em detectar a dança do penico do que eu, mas sempre que uma de suas irmãs se levanta para ir ao banheiro, ele não fica muito atrás. Gritando, abandona tudo o que está fazendo e parte como um velocista para o banheiro — só para ter a porta fechada em sua cara.

Banimos o bebê do banheiro porque o amamos. É uma ideia terrível colocar o braço em um redemoinho repleto de bactérias e sujeira! Além disso, ter privacidade enquanto você faz suas necessidades é uma prioridade em nossa casa. Nenhuma quantidade de choro e de lamentações do outro lado da porta do banheiro são suficientes. Ninguém nunca abre a porta para deixá-lo entrar a fim de colocar seu braço na água barulhenta e rodopiante. Ele não sabe que o que acha que vai fazê-lo feliz vai fazê-lo adoecer.

Deus é um bom Pai e nunca, jamais, considera, por um momento sequer, nos deixar satisfeitas com nada menos do que ele mesmo, pois ele é o tesouro mais satisfatório em todo o mundo. O Salmo 37.4 diz: "Agrada-te do Senhor, e ele satisfará os desejos do teu coração". Quando nosso deleite está no Senhor, o desejo do nosso coração *é o Senhor*. Deus irá, com toda a certeza e prazer, lhe dar a si mesmo. Afinal, ele já demonstrou seu compromisso em dar a si mesmo, livremente, a nós, para nossa alegria eterna. Ele enviou seu Filho Jesus para morrer na cruz e remover todos os obstáculos entre nós!

Temos vislumbres da graça de Deus em nossos lares quando estimamos Deus por meio do evangelho de Jesus Cristo. A solução para os nossos problemas no lar *e* o encorajamento para o nosso prazer na vida do lar é a comunhão com Deus por intermédio do sacrifício expiatório de Jesus Cristo na cruz. Mateus 6.21

revela: "Porque, onde está o teu tesouro, aí estará também o teu coração". Que Jesus possa ser o nosso tesouro, e que as nossas vidas estejam escondidas nele.

Notas

Introdução

1. Agostinho, "Letter 143 'To Marcellinus,' " *Letters 211–270: Works of Saint Augustine* (Hyde Park, NY: New City Press, 2005), 2.4.

Capítulo 1: Previsão do dia

1. John Piper, "Honrando o Chamado Bíblico da Maternidade", sermão, 8 de maio de 2005.

2. O Breve Catecismo de Westminster, Questão 1.

3. Milton Vincent, *A Gospel Primer for Christians: Learning to See the Glories of God's Love* (Bemidji, MN: Focus, 2008), 21.

Capítulo 2: Não *smurf* o evangelho

1. Graeme Goldsworthy, *Gospel-Centered Hermeneutics: Foundations and Principles of Evangelical Biblical Interpretation* (Downers Grove, IL: IVP Academic, 2000).

2. Um exemplo de livro legível e conciso é "O que é o Evangelho?", de Greg Gilbert (São José dos Campos: Editora Fiel, 2010).

3. Timothy S. Lane and Paul David Tripp, *How People Change* (Greensboro, NC: New Growth Press, 2008), 5.

4. Um livro útil para se ler sobre esse tópico é a obra de Trevin Wax, *Counterfeit Gospels: Rediscovering the Good News in a World of False Hope* (Chicago, IL: Moody, 2011).

5. Wendy Alsup, *Practical Theology for Women* (Wheaton, IL: Crossway, 2008), 26.

6. D. A. Carson, "What is the Gospel?" em *For the Fame of God's Name: Essays in Honor of John Piper*, ed. D. A. Carson, Sam Storms, e Justin Taylor (Wheaton, IL: Crossway, 2010), 165.

7. Mack Stiles, *Marcas de um Evangelista: Conhecendo, Amando e Falando o Evangelho* (São José dos Campos: Editora Fiel, 2015).

8. Carson, "What is the Gospel?", 165.

9. Milton Vincent, *A Gospel Primer for Christians: Learning to See the Glories of God's Love* (Bemidji, MN: Focus, 2008), 13.

10. Martinho Lutero sobre Lucas 22.7—20 (abril de 1534).

Capítulo 4: Cristo em você, a esperança da glória

1. Richard Sibbes, *Glorious Freedom* (Carlisle, PA: Banner of Truth, 2000), 110.

2. Jonathan Edwards, "*On Efficacious Grace*", em *The Works of Jonathan Edwards* (Edinburgh: Banner of Truth, 1974), 2:557; grifo da autora.

3. Agostinho, *Confissões* (São Paulo: Paulus, 1997), livro X, capítulo 31, p. 305.

Capítulo 5: O poder divino e promessas preciosas para a alimentação às duas da manhã

1. Milton Vincent, *A Gospel Primer for Christians: Learning to See the Glories of God's Love* (Bemidji, MN: Focus, 2008), 31—32.

Capítulo 6: O Pão da Vida e roscas para o café da manhã

1. Richard Sibbes, *The Tender Heart* (Carlisle, PA: Banner of Truth, 2000), 41—42.

Capítulo 7: Toda graça e toda suficiência para cada convidado do jantar

1. D. A. Carson, *Um Chamado à Reforma Espiritual* (São Paulo: Cultura Cristã, 2007), *passim*.

Capítulo 8: Ele nos lava e nos deixa alvos como a neve

1. Julia Johnston, "Grace greater than our sin", 1911.

2. William Cowper, "*Há uma fonte*", 1772.

3. Robert Lowry, "Só no sangue", 1876.

4. John Ensor, *The Great Work of the Gospel: How We Experience God's Grace* (Wheaton, IL: Crossway, 2006), 110.

Capítulo 9: A presença permanente de Deus em nossa dor

1. Martinho Lutero, citado em *Luther: Letters of Spiritual Counsel*, traduzido e editado por Theodore G. Tappert, (Vancouver, BC: Regent College, 2003), 54.

2. Bryan Chappell, *Começando pelo Amém* (São Paulo: Cultura Cristã, 2009), passim.

Capítulo 10: Unida com Cristo, mas precisando de amigos

1. Deepak Raju, Treinamento em Aconselhamento Bíblico, Igreja Redentor em Dubai, Dubai, Emirados Árabes Unidos, Janeiro de 2012.

2. Milton Vincent, *A Gospel Primer for Christians: Learning to See the Glories of God's Love* (Bemidji, MN: Focus, 2008), 29.

Capítulo 13: O contentamento em Cristo vem com uma soneca?

1. Jeremiah Burroughs, *The Rare Jewel of Christian Contentment* (Carlisle, PA: Banner of Truth, 1964), 18—19.
2. Ibid.
3. Burroughs, *Rare Jewel, 219.*
4. Para um livro que lida cuidadosa e biblicamente com essa questão, veja Staci Eastin, *The Organized Heart,* uma abordagem centrada no evangelho e que lida com os ídolos no coração de uma mulher. *The Organized Heart: A Woman's Guide to Conquering Chaos* (Adelphi, MD: Cruciform, 2011).

FIEL
MINISTÉRIO

O Ministério Fiel tem como propósito servir a Deus através do serviço ao povo de Deus, a Igreja.

Em nosso site, na internet, disponibilizamos centenas de recursos gratuitos, como vídeos de pregações e conferências, artigos, e-books, livros em áudio, blog e muito mais.

Oferecemos ao nosso leitor materiais que, cremos, serão de grande proveito para sua edificação, instrução e crescimento espiritual.

Assine também nosso informativo e faça parte da comunidade Fiel. Através do informativo, você terá acesso a vários materiais gratuitos e promoções especiais exclusivos para quem faz parte de nossa comunidade.

Visite nosso website

www.ministeriofiel.com.br

e faça parte da comunidade Fiel

Esta obra foi composta em Arno Pro Regular 12, e impressa
na Promove Artes Gráficas sobre o papel Pólen Soft 70g/m²,
para Editora Fiel, em Janeiro de 2021